D1235560

# AUTOAYUDA

**Dalai Lama**
con Howard C. Cutler

# El arte de la felicidad

Traducción de
**José Manuel Pomares**

**DeBOLS!LLO**

Título original: *The Art of Happiness. A Handbook for Living*
William Morrow and Company, Inc., Nueva York
© 1998 HH Dalai Lama y Howard C. Cutler, M. D.
© 1999 de la edición en castellano para España y América:
  Random House Mondadori, S. A.
  Travessera de Gràcia, 47-49. 08021 Barcelona
© 1999, José Manuel Pomares, por la traducción
Diseño de la portada: Depto. de diseño de Random House Mondadori
Directora de arte: Marta Borrell
Diseñadora: Judith Sendra
Fotografía de la portada: © Alison Wright/Corbis
© 2006, Editorial Random House Mondadori Ltda.
  Av. Cra. 9 No. 100-07, Piso 7, Bogotá, D.C.
*Primera edición en este formato: Julio de 2006*
ISBN: 958-639-358-5
Impreso en Colombia
Quebecor World Bogotá S.A.

*Al lector.*
*Que encuentre usted la felicidad.*

# Índice

# Nota del autor

ESTE LIBRO RECOGE LAS EXTENSAS conversaciones mantenidas con el Dalai Lama. Las entrevistas privadas que tuve con él en Arizona y la India obedecían al propósito de colaborar en el proyecto de presentar sus puntos de vista acerca de cómo llevar una vida más feliz, complementados con mis observaciones y comentarios desde la perspectiva de un psiquiatra occidental. Generosamente, el Dalai Lama me permitió dar al libro el carácter que me pareciera más adecuado para transmitir sus ideas. Consideré que el modo narrativo que el lector encontrará en estas páginas favorecería la lectura y la comprensión, al mismo tiempo que permitiría mostrar cómo el Dalai Lama incorpora sus ideas a su propia vida cotidiana. Así pues, y contando con la aprobación del Dalai Lama, he organizado este libro según el contenido, lo cual en ocasiones me ha llevado a combinar e integrar materiales extraídos de conversaciones diferentes. Allí donde me ha parecido necesario para la claridad o la integración del conjunto, he introducido material procedente de las conferencias y charlas que pronunció en Arizona, para lo que he contado igualmente con su aprobación. El doctor Thupten Jinpa, intérprete del Dalai Lama, revisó amablemente el manuscrito final para asegurarse de que no se hubieran producido distorsiones inadvertidas de las ideas del Dalai Lama como consecuencia del proceso editorial.

He presentado historias personales para ilustrar las ideas que aquí se analizan. Con el propósito de mantener la confidencialidad y proteger la intimidad, he cambiado en cada caso los nombres y alterado detalles y características identificadoras de las personas reales.

# Introducción

Encontré al Dalai Lama solo, en un vestuario de baloncesto, momentos antes de que pronunciara una conferencia ante seis mil personas en la Universidad Estatal de Arizona. Tomaba serenamente una taza de té, en perfecto estado de reposo.

—Su Santidad, si estáis preparado...

Se levantó con energía y, sin la menor vacilación, abandonó el vestuario para salir al espacio situado entre bastidores, repleto de periodistas, fotógrafos, personal de seguridad y estudiantes, de seguidores, curiosos y escépticos. Avanzó entre la multitud con una amplia sonrisa, saludando a la gente al pasar. Finalmente, apartó una cortina, salió al escenario, se inclinó, juntó las manos y sonrió. Fue acogido con una estruendosa salva de aplausos. A petición suya, no se apagaron las luces del local, de modo que pudiera ver con claridad a su público, y durante un rato se limitó a permanecer allí de pie, contemplando al público con una inconfundible y cálida expresión de buena voluntad. Para quienes no habían visto antes al Dalai Lama, su túnica monacal, marrón y azafrán, quizá hubiera causado una impresión un tanto exótica, pero él puso rápidamente de manifiesto su notable capacidad para establecer una relación de empatía con su público al sentarse e iniciar su conferencia.

—Creo que ésta es la primera vez que me reúno con la mayoría de ustedes. Pero para mí no existe gran distancia entre un viejo amigo y uno nuevo, porque siempre he creído que todos somos iguales; todos somos seres humanos. Naturalmente, puede haber diferencias en cuanto al bagaje cultural o el estilo de vida, puede haber diferencias en nuestra fe, o quizá tengamos un color de piel diferente, pero todos somos seres humanos, compuestos por un cuerpo humano y una mente humana. Nuestra estructura física es la misma, como también lo es nuestra mente y nuestra naturaleza emocional. Cada vez que conozco a una persona tengo la sensación de que me encuentro con un ser humano como yo mismo. Creo que con esa actitud resulta mucho más fácil comunicarse con los demás. Cuando ponemos de relieve características específicas, como por ejemplo que yo soy tibetano o budista, surgen las diferencias. Pero esas cosas son secundarias. Si somos capaces de dejar las diferencias a un lado, creo que podemos comunicarnos fácilmente, intercambiar ideas y compartir experiencias.

De este modo, el Dalai Lama inició en 1993 una serie de conferencias en Arizona que duró una semana. Los planes para visitar Arizona se habían puesto en marcha una década antes, cuando nos conocimos, durante mi visita a Dharamsala, India, gracias a una pequeña beca para estudiar medicina tibetana tradicional. Dharamsala es un hermoso y tranquilo pueblo enclavado en la ladera de una montaña, en las estribaciones del Himalaya. Ha sido, durante casi cuarenta años, la sede del gobierno tibetano en el exilio, desde que el Dalai Lama, junto con cien mil compatriotas suyos, huyó del Tíbet después de la brutal invasión del ejército chino. Durante mi estancia en Dharamsala conocí a varios miembros de la familia del Dalai Lama, y a través de ellos se organizó mi primer encuentro con él.

En su conferencia pronunciada en 1993, el Dalai Lama habló de la importancia de relacionarnos como meros seres humanos y desplegó esa cualidad que fue el rasgo más característico de nuestra primera conversación en su hogar, en 1982. Parecía tener una capacidad poco común para hacer que uno se sintiera completamente a gusto en su presencia, para crear con rapidez una conexión sencilla y directa con un semejante. Nuestro primer encuentro duró unos cuarenta y cinco minutos y, como les ha sucedido a otras muchas personas, salí de la reunión muy animado, con la impresión de que acababa de conocer a un hombre verdaderamente excepcional.

A medida que mis contactos con el Dalai Lama se intensificaron durante los años que siguieron, pude apreciar gradualmente sus numerosas y singulares cualidades. Posee una inteligencia penetrante, pero sin artificio, una gran amabilidad, pero desprovista de sentimentalismos excesivos, un gran humor, pero sin frivolidad, así como capacidad para estimular e inspirar sin provocar un temor reverencial, como han descubierto muchos.

Con el transcurso del tiempo terminé por convencerme de que el Dalai Lama había aprendido a vivir con un sentido de plenitud y un grado de serenidad que nunca había visto en ninguna otra persona. Decidí identificar los principios que le permitían conseguirlo. Aunque es un monje budista, con toda una vida de formación y estudio, empecé a preguntarme si era posible recopilar un conjunto de sus creencias o prácticas para ser utilizadas por quienes no son budistas, prácticas que pudiéramos introducir en nuestras vidas para ser simplemente más felices, fuertes y, quizá, menos temerosos.

Finalmente, tuve la oportunidad de indagar sus puntos de vista con mayor profundidad, de reunirme con él diariamente durante su estancia en Arizona y más tarde de mantener conversaciones más amplias en su hogar, en la India. En nuestras pláticas, no tardé en descubrir que teníamos algunos obstáculos que superar mientras forcejeábamos para reconciliar nuestras perspectivas diferentes: la suya de monje budista y la mía de psiquiatra occidental. Inicié, por ejemplo, una de nuestras primeras sesiones planteándole ciertos problemas humanos corrientes, que ilustré con varios ejemplos expuestos con amplitud. Tras haberle descrito a una mujer que persistía en mantener comportamientos autodestructivos, le pregunté si encontraba alguna explicación para esa conducta y qué consejos podía ofrecer. Quedé desconcertado cuando, tras una prolongada y silenciosa reflexión, se limitó a decirme:

—No lo sé —y, con un encogimiento de hombros, se echó a reír bondadosamente. Al observar mi expresión de sorpresa y desilusión por esta respuesta, el Dalai Lama me dijo—: A veces resulta muy difícil explicar por qué las personas hacen lo que hacen... A menudo descubrirá que no hay explicaciones sencillas. Si tuviéramos que entrar en detalles de las vidas individuales, y siendo la mente del ser humano tan compleja, sería bastante difícil comprender lo que está ocurriendo exactamente.

Pensé que con esas palabras sólo trataba de escurrir el bulto.

—Pero, como psicoterapeuta, mi tarea consiste principalmente en descubrir por qué las personas actúan de determinada manera —le dije.

Se echó a reír una vez más, con esa risa que a muchas personas les parece tan extraordinaria, impregnada de humor y buena voluntad, nada afectada ni azorada, que se inicia con una profunda resonancia y asciende sin esfuerzo varias octavas, para terminar con un delicioso tono agudo.

—Creo que sería extremadamente difícil tratar de imaginar cómo funcionan las mentes de millones de personas —observó, sin dejar de reír—. ¡Sería una tarea imposible! Desde el punto de vista budista son muchos los factores que contribuyen a cualquier acontecimiento o situación dada... De hecho, puede haber tantos factores que a veces es imposible encontrar una explicación completa de lo que ocurre, al menos en términos convencionales.

Al observar cierta inquietud en mí, añadió:

—Creo que el enfoque occidental difiere en algunos aspectos del enfoque budista, sobre todo cuando se trata de determinar el origen de los problemas de la persona. En los modos occidentales de análisis subyace una muy fuerte tendencia racionalista, la suposición de que todo puede explicarse. Y también hay limitaciones basadas en determinadas premisas que se dan por indiscutibles. Recientemente, por ejemplo, me reuní con unos médicos de la facultad de Medicina de la Universidad. Hablaban sobre el cerebro y afirmaron que los pensamientos y los sentimientos eran el resultado de reacciones químicas y cambios que se operaban en él. Así pues, les planteé una pregunta: ¿es posible concebir una secuencia inversa, que el pensamiento genere cambios químicos en el cerebro? Lo más interesante para mí fue la respuesta que dio uno de los científicos: «Partimos de la premisa de que todos los pensamientos son producto o funciones de reacciones químicas en el cerebro». Así pues, se trata simplemente de una especie de dogma, de la decisión de no enfrentarse a una arraigada manera de pensar.

Guardó un momento de silencio, antes de continuar.

—En la moderna sociedad occidental parece dominar un potente condicionamiento cultural basado en la ciencia. En algunos casos, sin embargo, las premisas y parámetros básicos de la ciencia occidental pueden limitar su capacidad para abordar ciertas realidades. Mantenéis, por ejemplo, la idea limitadora de que todo se puede explicar dentro de la estructura de una sola vida, y la combináis con la noción de que todo puede y tiene que ser explicado. Pero cuando os encontráis con fenómenos que no podéis explicar, surge una especie de tensión que es casi un sentimiento de angustia.

A pesar de darme cuenta de que había algo de verdad en lo que decía, al principio me resultó difícil de aceptar.

—Bueno, en la psicología occidental, cuando nos encontramos con comportamientos humanos que superficialmente son difíciles de explicar, utilizamos ciertos enfoques para comprender lo que está sucediendo. Por ejemplo, la idea de que la parte inconsciente o subconsciente de la mente juega un papel destacado. Creemos que a veces el comportamiento puede ser el resultado de procesos psicológicos de los que no somos conscientes, como cuando se actúa de una determinada forma para evitar un temor subyacente. Sin que seamos conscientes de ello, ciertos comportamientos pueden estar motivados por el deseo de no permitir que aquellos temores lleguen hasta nuestra conciencia, para no vernos obligados a experimentar el desagrado que asociamos a ellos.

—En el budismo —dijo tras reflexionar un momento— existe la idea de las disposiciones y huellas dejadas por ciertos tipos de experiencia, algo similar a la idea del inconsciente en la psicología occidental. En el pasado, por ejemplo, puede haber ocurrido algún acontecimiento que ha dejado una huella muy fuerte en la mente. Una huella que quizá ha permanecido oculta y que afecta al comportamiento. Existe, pues, esta idea de que algo puede ser inconsciente... que nos afecta sin que seamos conscientes de ello. En cualquier caso, creo que el budismo puede aceptar muchas de las hipótesis planteadas por los teóricos occidentales, pero que además de eso añade otras. Por ejemplo, el condicionamiento y las huellas dejados por vidas anteriores. En la psicología occidental, sin embargo, creo que existe una tendencia a subrayar en exceso el papel del inconsciente a la hora de buscar el origen de los problemas. Creo que eso proviene de algunos de los supuestos básicos de la psicología occidental, que no acepta, por ejemplo, la idea de que las huellas que observamos en esta vida puedan proceder de una vida anterior, así como el supuesto de que todo tiene explicación dentro de esta vida. Así pues, cuando no puedes encontrar la causa de ciertos comportamientos o problemas, aparece la tendencia a localizarla siempre en el inconsciente. Es como si hubieras perdido algo y decidieras que el objeto se encuentra en esta habitación. Una vez tomada esa decisión, ya has fijado tus parámetros y excluido la posibilidad de que el objeto se encuentre en otra habitación. Así que continúas buscando aquí sin cesar, pero no encuentras lo perdido, a pesar de lo cual sigues suponiendo que está en esta habitación.

Al principio quise dar a este libro un carácter de obra de autoayuda convencional en la que el Dalai Lama presentaría soluciones claras y sencillas a todos los problemas de la vida. Tuve la impresión de que, utilizando mis conocimientos psiquiátricos, podría codificar sus puntos de vista en una serie de instrucciones fáciles acerca de cómo dirigir la vida cotidiana. Al final de nuestra serie de reuniones ya había abandonado esa idea. Descubrí que su enfoque implicaba un análisis mucho más amplio y complejo, de innumerables matices.

Poco a poco, sin embargo, empecé a escuchar la única nota que él hacía resonar constantemente. Es una nota de esperanza, que se basa en la convicción de que, aun cuando alcanzar la felicidad verdadera y perpetua no es nada fácil, es algo que a pesar de todo puede conseguirse. Bajo todos los métodos del Dalai Lama hay un sustrato de convicciones básicas: la convicción de la dulzura y la bondad fundamentales de todos los seres humanos, la convicción del valor de la compasión, la convicción de que existe una actitud de amabilidad y un sentido de comunidad entre todas las criaturas vivas.

A medida que se desplegaba su mensaje me quedaba cada vez más claro que sus convicciones no se basan en una fe ciega o en el dogma religioso, sino más bien en un sano razonamiento y en la experiencia directa. Su comprensión de la mente y del comportamiento humanos se fundamentan en toda una vida de estudio. Sus puntos de vista se hallan enraizados en una tradición de dos mil quinientos años, pero también en el sentido común y en una profunda comprensión de los problemas modernos. Su valoración de los temas contemporáneos es resultado de la singular posición que ocupa, que le ha permitido recorrer el mundo muchas veces, exponerse a muchas culturas y personas diferentes, pertenecientes a todos los ámbitos de la vida, intercambiar ideas con destacados científicos y dirigentes religiosos y políticos. Lo que surge en último término es un enfoque impregnado de sabiduría para afrontar los problemas humanos, un enfoque que es a la vez optimista y realista.

En este libro he intentado presentar al Dalai Lama a un público fundamentalmente occidental. He incluido amplios resúmenes de sus enseñanzas públicas y de nuestras conversaciones privadas. En consonancia con mi propósito de otorgar más espacio y relieve a nuestras vidas cotidianas, en ocasiones he preferido omitir partes de los análisis del Dalai Lama relacionados con aspectos más filosóficos del budismo tibetano. Al final de este volumen el lector interesado en una exploración más profunda del budismo tibetano encontrará una reseña bibliográfica de la obra del Dalai Lama.

*Primera parte*

# El propósito
# de la vida

# 1

## El derecho a la felicidad

«CREO QUE EL PROPÓSITO fundamental de nuestra vida es buscar la felicidad. Tanto si se tienen creencias religiosas como si no, si se cree en tal o cual religión, todos buscamos algo mejor en la vida. Así pues, creo que el movimiento primordial de nuestra vida nos encamina en pos de la felicidad.»

Con estas palabras, pronunciadas ante numeroso público en Arizona, el Dalai Lama abordó el núcleo de su mensaje. Pero la afirmación de que el propósito de la vida es la felicidad me planteó una cuestión. Más tarde, cuando nos hallábamos a solas, le pregunté:

—¿Es usted feliz?

—Sí —me contestó y, tras una pausa, añadió—: Sí..., definitivamente.

Había sinceridad en su voz, de eso no cabía duda, una sinceridad que se reflejaba en su expresión y en sus ojos.

—Pero ¿es la felicidad un objetivo razonable para la mayoría de nosotros? —pregunté—. ¿Es realmente posible alcanzarla?

—Sí. Estoy convencido de que se puede alcanzar la felicidad mediante el entrenamiento de la mente.

Desde un nivel humano básico, he considerado la felicidad como un objetivo alcanzable, pero como psiquiatra me he sentido agobiado por observaciones como la de Freud: «Uno se siente inclinado a pensar que la pretensión de que el hombre sea "feliz" no está incluida en el plan de la "Creación"». Este tipo de formación había llevado a muchos psiquiatras a la tremenda conclusión de que lo máximo que cabía esperar era «la transformación de la desdicha histérica en la infelicidad común». Desde ese punto de vista, la afirmación de que existía un camino claramente definido que conducía a la felicidad parecía bastante radical. Al contemplar retrospectivamente mis años de formación psiquiátrica, apenas recordaba haber escuchado mencionar la palabra «felicidad», ni siquiera como objetivo terapéutico. Naturalmente, se habla mucho de aliviar los síntomas de depresión o ansiedad del paciente, de resolver los conflictos internos o los problemas de relación, pero nunca con el objetivo expreso de alcanzar la felicidad.

El concepto de felicidad siempre ha parecido estar mal definido en Occidente, siempre ha sido elusivo e inasible. «Feliz», en inglés, deriva de la palabra islandesa *happ*, que significa suerte o azar. Al parecer, este punto de vista sobre la naturaleza misteriosa de la felicidad está muy extendido. En los momentos de alegría que trae la vida, la felicidad parece llovida del cielo. Para mi mente occidental, no se trataba de algo que se pueda desarrollar y mantener dedicándose simplemente a «formar la mente».

Al plantear esta objeción, el Dalai Lama se apresuró a explicar:

—Al decir «entrenamiento de la mente» en este contexto, no me estoy refiriendo a la «mente» simplemente como una capacidad cognitiva o intelecto. Utilizo el término más bien en el sentido de la palabra tibetana *Sem*, que tiene un significado mucho más amplio, más cercano al de «psique» o «espíritu», y que incluye intelecto y sentimiento, corazón y cerebro. Al imponer una cierta disciplina interna, podemos experimentar una transformación de nuestra actitud, de toda nuestra perspectiva y nuestro enfoque de la vida.

»Hablar de esta disciplina interna supone señalar muchos factores, y quizá también tengamos que referirnos a muchos métodos. Pero, en términos generales, uno empieza por identificar aquellos factores que conducen a la felicidad y los que conducen al sufrimiento. Una vez hecho eso, es necesario eliminar gradualmente los factores que llevan al sufrimiento mediante el cultivo de los que llevan a la felicidad. Ése es el camino.

El Dalai Lama afirma haber alcanzado un cierto grado de felicidad personal. Durante la semana que pasó en Arizona observé que la felicidad personal se manifiesta en él como una sencilla voluntad de abrirse a los demás, de crear un clima de afinidad y buena voluntad, incluso en los encuentros de breve duración.

Una mañana, después de pronunciar una conferencia, el Dalai Lama caminaba por un patio exterior, de regreso a su habitación del hotel, acompañado por su séquito habitual. Al ver a una de las camareras ante los ascensores, se detuvo y le preguntó:

—¿De dónde es usted?

Por un momento, la mujer pareció desconcertada ante ese extranjero cubierto por una túnica marrón, y extrañada ante la deferencia que le demostraba su séquito.

—De México —contestó tímidamente con una sonrisa.

Él habló brevemente con ella y luego continuó su camino, dejando a la mujer con una expresión de entusiasmo y satisfacción en el rostro. A la mañana siguiente, a la misma hora, estaba en el mismo lugar, acompañada por otra camarera. Las dos saludaron cálidamente al Dalai Lama cuando entró en el ascensor. La interacción fue breve, pero las dos mujeres parecieron sonrojarse de felicidad. En los días que siguieron, en el mismo lugar y a la misma hora, se veía allí a miembros del personal, hasta que, al final de la semana, había docenas de camareras, con sus almidonados uniformes grises y blancos, formando una fila que se extendía a lo largo del camino que conducía a los ascensores.

Nuestros días están contados. En este momento, muchos miles de seres nacen en el mundo, algunos destinados a vivir sólo unos pocos días o semanas, para luego sucumbir a la enfermedad o cualquier otra desgracia. Otros están destinados a vivir hasta un siglo, incluso más, y a experimentar todo lo que la vida nos puede ofrecer: triunfo, desesperación, alegría, odio y amor. Pero tanto si vivimos un día como un siglo, sigue en vigor la pregunta cardinal: ¿cuál es el propósito de nuestra vida?

«El propósito de nuestra existencia es buscar la felicidad.» Esta afirmación parece dictada por el sentido común, y muchos pensadores occidentales han estado de acuerdo con ella, desde Aristóteles hasta William James. Pero ¿acaso una vida basada en la búsqueda de la felicidad personal no es, por naturaleza, egoísta e incluso poco juiciosa? No necesariamente. De hecho, muchas investigaciones han demostrado que son las personas desdichadas las que tienden a estar más centradas en sí mismas; son a menudo retraídas, melancólicas e incluso propensas a la enemistad. Las personas felices, por el contrario, son generalmente más sociables, flexibles y creativas, más capaces de tolerar las frustraciones cotidianas y, lo que es más importante, son más cariñosas y compasivas que las personas desdichadas.

Los investigadores han realizado algunos experimentos interesantes que demuestran que las personas felices poseen una voluntad de acercamiento y ayuda con respecto a los demás. Han podido, por ejemplo, inducir un estado de ánimo alegre en un individuo organizando una situación por la que éste encontraba dinero en una cabina telefónica. Uno de los experimentadores, totalmente desconocido para el sujeto, pasaba al lado de él y simulaba un pequeño accidente dejando caer los periódicos que llevaba. Los investigadores deseaban saber si el sujeto se detendría para ayudar al extraño. En otra situación, se elevaba el estado de ánimo de los sujetos mediante la audición de una comedia musical y luego se les acercaba alguien para pedirles dinero. Los investigadores descubrieron que las personas que se sentían felices eran más amables, en contraste con un «grupo de control» de individuos a los que se les presentaba la misma oportunidad de ayudar pero cuyo estado de ánimo no había sido estimulado.

Aunque esta clase de experimentos contradicen la noción de que la búsqueda y el alcance de la felicidad personal conducen al egoísmo y al ensimismamiento, todos podemos llevar a cabo un experimento de esta índole con resultados similares. Supongamos, por ejemplo, que nos encontramos en un atasco de tráfico. Después de veinte minutos de espera, los vehículos empiezan a moverse con lentitud. Vemos entonces a otro coche que nos hace señales para que le permitamos entrar en nuestro carril y situarse delante de nosotros. Si nos sentimos de buen humor, lo más probable es que frenemos y le cedamos el paso. Pero si nos sentimos irritados, nuestra respuesta consiste en acelerar y ocupar rápidamente el hueco. «Yo llevo tanta prisa como los demás.»

Empezamos, pues, con la premisa básica de que el propósito de nuestra vida consiste en buscar la felicidad. Es una visión de ella como un objetivo real, hacia cuya consecución podemos dar pasos positivos. Al empezar a identificar los factores que conducen a una vida más feliz, aprenderemos que la búsqueda de la felicidad produce beneficios, no sólo para el individuo, sino también para la familia de éste y para el conjunto de la sociedad.

# 2

# Las fuentes de la felicidad

HACE DOS AÑOS, una amiga mía tuvo un inesperado golpe de suerte. Dieciocho meses antes de tenerlo había dejado su trabajo como enfermera para asociarse con dos amigos en una pequeña empresa de servicios sanitarios. El nuevo negocio tuvo un éxito fulgurante y, al cabo de dieciocho meses, fue adquirido por una gran empresa, que les pagó una enorme suma. Tras unos inicios modestos, mi amiga entró en posesión de un patrimonio que le permitió retirarse a la edad de treinta y dos años. La vi no hace mucho y le pregunté cómo disfrutaba de su jubilación anticipada.

—Bueno —me contestó—, es magnífico poder viajar y hacer todas las cosas que siempre he deseado. Sin embargo —añadió—, aunque parezca extraño, después del entusiasmo por haber ganado tanto dinero, todo volvió más o menos a la normalidad. Claro que ahora tengo una casa nueva y muchas más cosas, pero en conjunto no creo que sea mucho más feliz que antes.

Aproximadamente por la misma época en que mi amiga obtenía sus inesperados beneficios, otro amigo mío de la misma edad descubrió que era seropositivo. Hablamos acerca de cómo afrontaba su nueva situación.

—Naturalmente, al principio estaba desolado —me dijo—. Y tardé casi un año en aceptar el hecho de que tenía el virus del sida. Pero las cosas han cambiado este último año. Tengo la impresión de que cada día recibo mucho más que antes y me siento más feliz que nunca. Parece como si hubiera aprendido a apreciar las cosas cotidianas y me siento agradecido por el hecho de que, hasta el momento, no haya desarrollado ningún síntoma grave y pueda disfrutar realmente de las cosas que tengo. Y aunque, desde luego, preferiría no ser seropositivo, tengo que admitir que eso ha transformado mi vida en algunos aspectos... y favorablemente.

—¿De qué forma? —le pregunté.

—Bueno, siempre he mostrado tendencia a ser un consumado materialista. Durante el pasado año, sin embargo, el hecho de haberme reconciliado con mi destino me dio acceso a un mundo completamente nuevo. Por primera vez en mi vida he empezado a explorar la espiritualidad, a leer muchos libros sobre el tema y hablar con la gente..., a descubrir muchas cosas que antes ni siquiera imaginaba que existieran. Eso hace que me sienta muy animado simplemente al levantarme por la mañana, ansiando ver qué traerá el nuevo día.

Estas dos personas ilustran una cuestión esencial: que la felicidad está determinada más por el estado mental que por los acontecimientos externos. El éxito puede dar como resultado una sensación temporal de regocijo, o la tragedia puede arrojarnos a un período de depresión, pero nuestro estado de ánimo tiende a recuperar tarde o temprano un cierto tono normal. Los psicólogos llaman «adaptación» a este proceso, y todos podemos observar cómo actúa en nuestra vida cotidiana: un aumento de sueldo, un coche nuevo o el reconocimiento por parte de nuestros semejantes pueden levantar nuestro ánimo durante un tiempo, pero no tardamos en regresar a nuestro nivel habitual. Del mismo modo, la discusión con un amigo, el tener que dejar el coche en el taller o algún contratiempo nos deja abatidos, pero nos volvemos a animar en cuestión de días.

Esta tendencia no se limita a ser una respuesta a hechos triviales, sino que se muestra en condiciones más extremas de triunfo o desastre. Las investigaciones realizadas con los ganadores de la lotería estatal de Illinois o la lotería británica descubrieron que el entusiasmo inicial terminaba por desaparecer y los individuos regresaban a su estado de ánimo habitual. Otros estudios han demostrado que incluso quienes se han visto afectados por acontecimientos catastróficos, como el cáncer, la ceguera o la parálisis, suelen recuperar o aproximarse mucho a su nivel anímico normal después de un período de adaptación.

Así pues, si siempre regresamos a nuestro nivel habitual, con independencia de las condiciones externas que nos afectan, ¿qué es lo que determina ese nivel habitual? Y, lo que es más importante, ¿se puede modificar éste y establecer un nivel superior? Recientemente, algunos investigadores han argumentado que el nivel de bienestar de cada individuo está determinado genéticamente, al menos hasta cierto punto. Estudios como el que ha descubierto que los gemelos univitelinos o idénticos (que comparten la misma dotación genética) tienden a mostrar niveles anímicos muy similares, al margen de que fueran educados juntos o separados, han inducido a los investigadores a postular la existencia de una tendencia determinada biológicamente, presente ya en el cerebro en el momento de nacer.

Pero aunque la dotación genética tuviera un papel en la felicidad, cuya importancia aún no se ha establecido, la mayoría de los psicólogos están de acuerdo en que, al margen de ella, podemos trabajar con el «factor mental» e intensificar las sensaciones que tenemos de felicidad. Ello se debe a que nuestra felicidad cotidiana está determinada en buena medida por nuestra perspectiva. De hecho, que nos sintamos felices o desdichados en un momento determinado, frecuentemente tiene que ver sobre todo con la forma de percibir nuestra situación, con lo satisfechos que nos sintamos con lo que tenemos actualmente.

## La mente que compara

¿Qué define nuestra percepción y nivel de satisfacción? Esas sensaciones están fuertemente influidas por nuestra tendencia a comparar. Al comparar nuestra situación actual con nuestro pasado y descubrir que estamos mejor, nos sentimos felices. Eso sucede cuando nuestros ingresos saltan, por ejemplo, de 20.000 a 30.000 dólares anuales; pero no es la cantidad absoluta lo que nos hace felices, como descubrimos en cuanto nos acostumbramos a los nuevos ingresos y ciframos nuestra felicidad en la consecución de 40.000 dólares anuales. Miramos también a nuestro alrededor y nos comparamos con los demás. Por mucho que ganemos, tendemos a sentirnos insatisfechos si el vecino está ganando más. Los atletas profesionales se quejan de ganar sólo uno, dos o tres millones de dólares cuando se citan los ingresos superiores de un compañero de equipo. Esta tendencia parece apoyar la definición de H. L. Mencken de un hombre rico: alguien que gana cien dólares más que el marido de su cuñada.

Vemos, pues, que nuestros sentimientos de satisfacción dependen a menudo de tales comparaciones. Naturalmente, también las establecemos respecto a otras cosas. La comparación constante con quienes son más listos, más atractivos y obtienen más triunfos que nosotros tiende a alimentar la envidia, la frustración y la infelicidad. Pero también podemos utilizar esta actitud de una forma positiva; es posible intensificar nuestra sensación de satisfacción vital paragonándonos con aquellos que son menos afortunados y apreciando lo que poseemos.

Los investigadores han llevado a cabo una serie de experimentos que demuestran que el nivel de satisfacción vital se eleva al cambiar simplemente la perspectiva y considerar situaciones peores. Durante un estudio se mostró a mujeres de la Universidad de Wisconsin, en Milwaukee, imágenes de las condiciones de vida extremadamente duras reinantes en dicha ciudad a principios de siglo, o se les pidió que imaginaran y escribieran sobre hipotéticas tragedias personales, como resultar quemadas o desfiguradas. Después de esto, se pidió a las mujeres que calificaran la calidad de sus vidas. El ejercicio tuvo como resultado un incremento de satisfacción en su juicio. En otro experimento, llevado a cabo en la Universidad Estatal de Nueva York, en Buffalo, se pidió a los sujetos que completaran la frase «Me siento contento de no ser un...». Tras haber repetido cinco veces este ejercicio, los sujetos experimentaron un claro aumento de su sensación de satisfacción vital. Los investigadores pidieron a otro grupo que completara la frase «Desearía ser...». Esta vez, el experimento dejó a los sujetos más insatisfechos con sus vidas.

Estos experimentos, que muestran que podemos aumentar o disminuir nuestra sensación de satisfacción cambiando nuestra perspectiva, indican con claridad el papel de la actitud mental.

El Dalai Lama explica:

—Aunque es posible alcanzar la felicidad, ésta no es algo simple. Existen muchos niveles. En el budismo, por ejemplo, se hace referencia a los cuatro factores de la realización o felicidad: riqueza, satisfacción mundana, espiritualidad e iluminación. Juntos, abarcan la totalidad de las expectativas de felicidad de un individuo.

»Dejemos de lado por un momento las más altas aspiraciones religiosas o espirituales, como la perfección y la iluminación, y abordemos la alegría y la felicidad tal como las entendemos desde una perspectiva mundana. Dentro de este contexto, hay ciertos elementos clave que contribuyen a la alegría y la felicidad. La buena salud, por ejemplo, se considera un elemento necesario de una vida feliz. Otra fuente de felicidad son nuestras posesiones materiales o el grado de riqueza que acumulamos. Y también tener amistades o compañeros. Todos reconocemos que, para disfrutar de una vida plena, necesitamos de un círculo de amigos con los que podamos relacionarnos emocionalmente y en los que podamos confiar.

»Todos estos factores son, de hecho, fuentes de felicidad. Pero para que un individuo pueda utilizarlos plenamente con el propósito de disfrutar de una vida feliz y realizada, la clave se encuentra en el estado de ánimo. Es lo esencial.

»Si utilizamos de forma positiva nuestras circunstancias favorables, como la riqueza o la buena salud, éstas pueden transformarse en factores que contribuyan a alcanzar una vida más feliz. Y, naturalmente, disfrutamos de nuestras posesiones materiales, éxito, etcétera. Pero sin la actitud mental correcta, sin atención a ese factor, esas cosas tienen muy poco impacto sobre nuestros sentimientos a largo plazo. Si, por ejemplo, se abrigan sentimientos de odio o de intensa cólera, se quebranta la salud, destruyendo así una de las circunstancias favorables. Cuando uno se siente infeliz o frustrado, el bienestar físico no sirve de mucha ayuda. Por otro lado, si se logra mantener un estado mental sereno y pacífico, se puede ser una persona feliz aunque se tenga una salud deficiente. Aun teniendo posesiones maravillosas, en un momento intenso de cólera o de odio nos gustaría tirarlo todo por la borda, romperlo todo. En ese momento, las posesiones no significan nada. En la actualidad hay sociedades materialmente muy desarrolladas en las que mucha gente no se siente feliz. Por debajo de la brillante superficie de opulencia hay una especie de inquietud que conduce a la frustración, a peleas innecesarias, a la dependencia de las drogas o del alcohol y, en el peor de los casos, al suicidio. No existe, pues, garantía alguna de que la riqueza pueda proporcionar, por sí sola, la alegría o la satisfacción que se buscan. Lo mismo cabe decir de los amigos. Desde el punto de vista de la cólera o el odio, hasta el amigo más íntimo parece glacial y distante.

»Todo esto muestra la tremenda influencia que tiene el estado mental sobre nuestra experiencia cotidiana. Por tanto, debemos tomarnos ese factor muy seriamente.

»Así pues, dejando aparte la perspectiva de la práctica espiritual, incluso en los términos mundanos del disfrute de la existencia, cuanto mayor sea el nivel de calma de nuestra mente, tanto mayor será nuestra capacidad para disfrutar de una vida feliz.

El Dalai Lama hizo una pausa para dejar que esa idea se asentara en mi mente, antes de añadir:

—Debería señalar que cuando hablamos de un estado mental sereno, de paz mental, no debiéramos confundirlo con un estado mental insensible y apático. Tener un estado mental sereno o pacífico no significa permanecer distanciado o vacío. La paz mental o el estado de serenidad de la mente tiene sus raíces en el afecto y la compasión y supone un elevado nivel de sensibilidad y sentimiento.

Luego, a modo de síntesis, concluyó:

—Cuando se carece de la disciplina interna que produce la serenidad mental no importan las posesiones o condiciones externas, ya que éstas nunca proporcionarán a la persona la sensación de alegría y felicidad que busca. Por otro lado, si se posee esta cualidad interna, la serenidad mental y estabilidad interior, es posible tener una vida gozosa, aunque falten las posesiones materiales que uno consideraría normalmente necesarias para alcanzar la felicidad.

## Satisfacción interior

Una tarde, al cruzar el aparcamiento del hotel para reunirme con el Dalai Lama, me detuve para admirar un Toyota Land Cruiser totalmente nuevo, el tipo de coche que deseaba tener desde hacía mucho tiempo. Al empezar la sesión poco más tarde, sin dejar de pensar en el coche, le pregunté al Dalai Lama:

—A veces parece como si toda nuestra cultura, la cultura occidental, se basara en la compra; nos hallamos rodeados, bombardeados por anuncios referidos a los objetos que deberíamos comprar, el último modelo de coche, etcétera. Resulta difícil no dejarse influir por eso. Hay muchas cosas que deseamos. Eso no parece detenerse nunca. ¿Puede hablarme un poco sobre el deseo?

—Creo que hay dos clases de deseo —contestó el Dalai Lama—. Ciertos deseos son positivos. El deseo de felicidad, por ejemplo, es algo absolutamente correcto. El deseo de paz, de vivir en un mundo más armonioso, más acogedor. Ciertos deseos son muy útiles.

»Pero se llega a un punto en que los deseos pueden ser insensatos.

Eso suele producir problemas. Ahora, por ejemplo, voy a veces al supermercado. Realmente, me encanta ir al supermercado, porque hay muchas cosas hermosas. Así que cuando miro todos esos artículos se despierta en mí el deseo y me digo: "Quiero esto, quiero aquello". Y es entonces cuando surge un segundo impulso y me pregunto: "Pero ¿lo necesito realmente?". Habitualmente, la respuesta es negativa. Si uno se deja llevar por el primer deseo, por ese impulso inicial, los bolsillos no tardan en quedar vacíos. No obstante, el otro nivel de deseo, basado en las necesidades esenciales de alimento, vestido y cobijo, es razonable.

»A veces, que un deseo sea excesivo, negativo, depende de las circunstancias o de la sociedad en la que se vive. Por ejemplo, si vives en una sociedad próspera, donde necesitas un coche para desenvolverte en tu vida cotidiana, es evidente que no hay nada erróneo en desearlo. Pero si vivieras en un pueblo pobre de la India, donde te las puedes arreglar bastante bien sin coche, desearlo podría ocasionarte problemas, aunque tuvieras dinero para comprarlo. Puede crear un sentimiento de incomodidad entre tus vecinos, etcétera. Si vives en una sociedad más próspera y tienes un coche pero sigues deseando otros más caros, llegarás a tener la misma clase de problemas.

—Pero —argumenté— no comprendo por qué desear o comprar un coche más caro puede producirle problemas al individuo, siempre y cuando se lo pueda permitir. Tener un coche más caro que los vecinos puede ser un problema para ellos si se sienten celosos, pero al poseedor le proporcionará una sensación de satisfacción y gozo.

El Dalai Lama negó con un gesto de la cabeza y replicó con firmeza:

—No... La satisfacción, por sí sola, no puede determinar si un deseo o acción es positivo o negativo. Un asesino puede experimentar una sensación de satisfacción en el momento de cometer el asesinato, pero eso no justifica su acto. Todas las acciones no virtuosas, como mentir, robar, cometer adulterio, etcétera, son realizadas por personas que en ese momento pueden experimentar satisfacción. La frontera entre lo negativo y lo positivo de un deseo o acción no viene determinada por la satisfacción inmediata, sino por los resultados finales, por las consecuencias positivas o negativas. En el caso de desear posesiones más caras, por ejemplo, si eso se basa en una actitud mental que sólo desea más y más, llegarás finalmente al límite de lo que puedes tener, te encontrarás con la realidad. Y una vez que llegues a ese límite te hundirás en la depresión. Ese es uno de los peligros inherentes a semejantes deseos.

»Así pues, creo que estos deseos excesivos conducen a la avaricia, basada en expectativas desmesuradas. Y al reflexionar sobre los excesos de la avaricia, descubrirás que conduce al individuo a la frustración y la desilusión, que le acarrea confusión y numerosos problemas. Cuando se habla de la avaricia, una cosa bastante característica de ella es que, aunque se llega por el deseo de obtener algo, no quedas satisfecho al obtenerlo. En consecuencia, se transforma en algo ilimitado y sin fondo, por lo que proliferan las dificultades. Lo irónico de la avaricia es que aun cuando la motivación fundamental es la búsqueda de la satisfacción, no te sientes satisfecho ni siquiera después de conseguir el objeto de tu deseo. El verdadero antídoto de la avaricia es el contento. Si vives contento, la consecución de bienes pierde importancia.

¿Cómo podemos alcanzar, por tanto, satisfacción interior? Hay dos métodos. Uno de ellos consiste en obtener todo aquello que deseamos y queremos, el dinero, las casas, los coches, la pareja y el cuerpo perfectos. El Dalai Lama ya había señalado la desventaja de este enfoque; si no controlamos nuestros deseos, tarde o temprano nos encontraremos con algo que deseamos pero no podemos tener. El segundo método, mucho más fiable, consiste en querer y apreciar lo que tenemos.

La otra noche veía en la televisión una entrevista con Christopher Reeve, el actor que en 1994 sufrió una caída de caballo que le produjo una lesión en la espina dorsal y lo dejó paralítico de la cintura para abajo, lo que le exige incluso utilizar un método mecánico para respirar. Al preguntársele cómo afrontó la depresión provocada por su discapacidad, Reeve reveló que había pasado por un breve período de completa desesperación, mientras se hallaba en la unidad de cuidados intensivos del hospital. Sin embargo, esa desesperación se disipó con relativa rapidez, y ahora se considera sinceramente «un tipo afortunado». Habló de la fortuna que suponía para él tener una esposa y unos hijos cariñosos, y también agradeció los rápidos progresos de la medicina moderna (que, en su opinión, encontrará una cura para las lesiones de la espina dorsal dentro de la próxima década); afirmó que si hubiese sufrido el accidente unos pocos años antes, probablemente habría muerto como consecuencia de sus heridas. Mientras describía el proceso de adaptación a la parálisis, Reeve dijo que a pesar de que su desesperación desapareció con bastante rapidez, al principio se sintió preocupado por accesos intermitentes de celos ante comentarios tan inocentes como «Subo corriendo a la habitación a recoger algo». Al aprender a afrontar estos sentimientos «me di cuenta de que la única actitud válida en la vida es apoyarte en tus recursos, ver qué es lo que puedes hacer aún; en mi caso, afortunadamente, no había sufrido ningún daño cerebral, de modo que aún podía utilizar mi mente». Al dar valor a sus aptitudes, Reeve ha decidido utilizar su mente para educar al público acerca de los daños de la médula espinal y ayudar a los demás; además proyecta escribir y dirigir películas.

## Valor interior

Ya hemos visto que trabajar en nuestra perspectiva mental es un medio más efectivo para alcanzar la felicidad que buscarla en fuentes externas, como la riqueza, la posición y hasta la salud. Otra fuente interna de felicidad, estrechamente relacionada con un sentimiento de satisfacción, es la conciencia del propio valor. Al describir la base más fiable para desarrollar esa conciencia, el Dalai Lama explicó:

—En mi caso, por ejemplo, supongamos que no tuviera capacidad para hacer buenos amigos con facilidad. Sin ella me habría sido muy difícil convertirme en un refugiado una vez que perdí mi país cuando terminó mi autoridad en el Tíbet. Mientras estaba allí, en virtud del sistema político, la figura del Dalai Lama inspiraba cierto respeto y la gente se relacionaba conmigo en consonancia con ello, al margen de que sintieran verdadero afecto por mí o no. Pero si ésa hubiera sido la única base de mi relación con la gente, las cosas me habrían resultado extremadamente difíciles cuando abandoné mi país. Pero existe otra fuente de valor y dignidad a partir de la cual puede uno relacionarse con otros seres humanos. Puedes relacionarte con ellos porque perteneces a la comunidad humana. Compartes ese vínculo con todos. Y ese vínculo es suficiente para crear una conciencia de valor y dignidad y puede convertirse en un consuelo en el caso de que pierdas todo lo demás.

El Dalai Lama se detuvo un momento para tomar un sorbo de té, y luego sacudió la cabeza antes de añadir:

—Desgraciadamente, al examinar la historia encontramos casos de emperadores o reyes del pasado que perdieron su posición debido a un cataclismo político y se vieron obligados a abandonar el país. Posteriormente, la vida no fue muy benigna con ellos. Creo que la vida resulta muy dura sin ese sentimiento de afecto y conexión con los demás seres humanos.

»En términos generales encontramos dos clases de individuos poderosos. Por un lado está la persona enriquecida y de éxito, rodeada de parientes, etcétera. Si la fuente en la que esa persona alimenta su dignidad y autoestima es únicamente material, quizá pueda mantener una sensación de seguridad mientras dure su buena fortuna. Pero cuando se desvanezca ésta, la persona sufrirá, porque no hay para ella ningún otro refugio. Por otro lado, tenemos a la persona que disfruta de un bienestar material similar pero es cálida y afectuosa y abriga sentimientos compasivos. Al tener otra fuente para su dignidad, otro anclaje, es probable que no se sienta deprimida si de pronto desaparece su fortuna. Estos ejemplos nos muestran el valor práctico del calor y el afecto humanos.

## Felicidad frente a placer

Varios meses después del ciclo de conferencias del Dalai Lama en Arizona, lo visité en su hogar de Dharamsala. Era una tarde de julio particularmente calurosa y húmeda y llegué a su casa empapado en sudor, después de un corto desplazamiento desde el pueblo. Al proceder yo de un clima seco, la humedad de ese día me resultó casi insoportable y mi estado de ánimo no era el más adecuado para sentarme e iniciar nuestra conversación. Él, por su parte, parecía sentirse muy animado. Poco después de iniciada la conversación, abordó el tema del placer. En un momento determinado, hizo una observación crucial:

—Hay veces en que la gente confunde felicidad con placer. Hace no mucho tiempo, por ejemplo, pronuncié una conferencia ante un público indio en Rajpur. Dije que el propósito de la vida era la felicidad; un miembro del público señaló que Rajneesch enseña que nuestro momento más feliz se produce durante la actividad sexual, de modo que uno debe ser más feliz a través del sexo. —El Dalai Lama se echó a reír cordialmente—. Quería saber qué pensaba yo de esa idea. Le contesté que, desde mi punto de vista, la felicidad más alta se produce al llegar a la fase de liberación, en la que ya no existe más sufrimiento. Eso sí que es felicidad duradera. La auténtica felicidad se relaciona más con la mente que con el corazón. La felicidad que depende principalmente del placer físico es inestable; un día existe y al día siguiente puede haber desaparecido.

Parecía una observación un tanto perogrullesca; claro que la felicidad y el placer eran dos cosas diferentes. Sin embargo, los seres humanos tenemos tendencia a confundirlas. Poco después de mi regreso a casa, durante una sesión de terapia con una paciente, me encontré con una demostración concreta de lo eficaz que puede llegar a ser esa sencilla toma de conciencia.

Heather es una joven soltera que trabaja como asesora personal en la zona de Phoenix. Aunque disfrutaba de su trabajo con jóvenes problemáticos, ya hacía algún tiempo que se sentía insatisfecha de vivir en la zona. Se quejaba a menudo del crecimiento demográfico, el tráfico y el calor opresivo del verano. Se le había ofrecido un puesto de trabajo en una hermosa y pequeña ciudad en las montañas. Había visitado la ciudad en numerosas ocasiones y siempre había soñado en instalarse allí. La oferta habría sido irresistible de no mediar un inconveniente: su clientela sería gente adulta. Llevaba ya varias semanas tratando de decidirse. Intentó hacer una lista de las ventajas e inconvenientes, pero el resultado fue fastidiosamente equilibrado.

—Sé que no disfrutaría del trabajo tanto como aquí —me dijo—, pero eso podría quedar más que compensado por el placer de vivir en ese pueblo. Me encanta estar allí, el simple hecho de estar hace que me sienta bien. Por otro lado, estoy muy harta de este calor. Simplemente, no sé qué hacer.

La palabra «placer» me recordó las palabras del Dalai Lama y, a modo de tanteo, le pregunté:

—¿Cree usted que vivir en ese lugar le proporcionaría mayor felicidad o mayor placer?

Ella permaneció un momento en silencio.

—No lo sé —contestó finalmente—. Mire, creo que me produciría más placer que felicidad... En realidad, no creo que me sintiera realmente feliz trabajando con esa clientela. Tengo mucha satisfacción al trabajar con adolescentes.

El simple hecho de volver a plantear su dilema en términos de felicidad o placer pareció proporcionarle mucha claridad. De repente, le resultó mucho más fácil tomar una decisión. Se quedó en Phoenix. Naturalmente, sigue quejándose del calor del verano. Pero el hecho de haber tomado una decisión sobre la base de consideraciones más precisas contribuyó a hacerla más feliz y a que el calor le resultara más soportable.

Todos los días nos enfrentamos con numerosas alternativas y, por mucho que lo intentemos, a menudo no elegimos lo que es «bueno para nosotros». Ello está relacionado en parte con el hecho de que la «elección correcta» a menudo supone sacrificar nuestro placer.

Los hombres siempre se han esforzado por tratar de definir el papel del placer en nuestras vidas, y toda una legión de filósofos, teólogos y psicólogos han explorado nuestra relación con él. En el siglo III a. de C., Epicuro basó su sistema ético en la osada afirmación de que «el placer es el principio y el fin de la vida bienaventurada». Pero incluso él reconoció la importancia del sentido común y la moderación al admitir que la entrega desaforada a los placeres sensuales podía conducir a veces al dolor. En los últimos años del siglo XIX, Sigmund Freud formuló sus teorías sobre el placer. Según Freud, la fuerza motivadora fundamental de todo el aparato psíquico era el deseo de aliviar la tensión causada por los impulsos instintivos insatisfechos; en otras palabras, nuestra motivación fundamental es la búsqueda de placer. En el siglo XX, muchos investigadores han preferido soslayar las especulaciones filosóficas y se han dedicado a hurgar en las regiones cerebrales límbica y del hipotálamo, mediante el uso de electrodos, a la búsqueda del lugar donde se produce placer cuando hay estimulación eléctrica.

En realidad, ninguno de nosotros necesita de filósofos, psicoanalistas o científicos para que nos ayuden a comprender qué es el placer. Lo sabemos cuando lo sentimos. Lo reconocemos en el contacto o la sonrisa de un ser querido, en el lujo de un baño caliente una tarde lluviosa y fría, en la belleza de una puesta de sol. Pero muchos de nosotros también experimentamos placer en la frenética rapsodia de la cocaína, en el éxtasis de un «viaje» de heroína, en la diversión tumultuosa de una juerga llena de alcohol, en el arrobamiento de los excesos sexuales, en el entusiasmo de un acierto en el juego. Ésos también son placeres muy reales, con los que muchos de nosotros aprendemos a convivir.

Aunque no hay formas fáciles de evitar estos placeres destructivos, disponemos afortunadamente de una certeza como punto de partida: el simple hecho de recordar que lo que buscamos en la vida es la felicidad. Tal como señala el Dalai Lama, ése es un hecho incontestable. Si afrontamos la vida teniéndolo en cuenta, nos será más fácil renunciar a las cosas que, en último término, son nocivas, aunque nos proporcionen un placer momentáneo. La razón por la que suele ser tan difícil decir «no» se encuentra en la misma palabra «no», asociada a ideas de rechazo, de renuncia, de negación de nosotros mismos.

Pero existe un enfoque que puede ayudarnos: enmarcar cualquier decisión que afrontemos preguntándonos: «¿Me producirá felicidad?». Esa simple pregunta puede ser una poderosa ayuda en todas las circunstancias: no sólo en la decisión sobre consumir drogas o tomar esa tercera ración de pastel de plátanos con crema; contribuye a enfocarlo todo desde un ángulo distinto. Al afrontar nuestras decisiones cotidianas teniendo esto en cuenta, desplazamos el centro de atención, de aquello a lo que renunciamos a la búsqueda de la felicidad definitiva. Una clase de felicidad que, como definió el Dalai Lama, sea estable y persistente. Un estado de felicidad que permanezca, a pesar de los altibajos de la vida y de las fluctuaciones de nuestro estado de ánimo, como parte de la matriz misma de nuestro ser. Desde esa perspectiva nos resultará más fácil tomar la «decisión correcta» porque estaremos actuando para dotarnos de algo permanente, con una actitud que supone moverse hacia algo, en lugar de alejarse, que significa abrazar la vida en lugar de rechazarla. Este movimiento hacia la felicidad puede tener un efecto muy profundo: puede hacernos más receptivos, más abiertos a la alegría de vivir.

# 3
## Entrenar la mente para la felicidad

### El camino hacia la felicidad

El hecho de señalar el estado mental como el factor fundamental para alcanzar la felicidad no significa negar que debemos satisfacer nuestras necesidades físicas básicas de alimentación, vestido y cobijo. Pero, una vez satisfechas esas necesidades, el mensaje es claro: no necesitamos más dinero, ni más éxito o fama, no necesitamos tener un cuerpo perfecto ni una pareja perfecta... en este momento tenemos ya una mente con todo lo imprescindible para alcanzar la completa felicidad.

Al presentar este enfoque para trabajar con la mente, el Dalai Lama dijo:

—Al referirnos a la «mente» o «conciencia», no debemos olvidar que hay muchas variedades de ella. Tal como sucede con las condiciones externas o los objetos, unos son muy útiles, otros nocivos y algunos neutros; al tratar con la materia exterior solemos identificar primero las sustancias útiles, para cultivarlas y beneficiarnos, y nos libramos de las nocivas. De modo similar, hay miles de «mentalidades» diferentes. Entre ellas, algunas son muy útiles y deberíamos fomentarlas. Otras son negativas, muy nocivas, y deberíamos intentar desecharlas.

»Así pues, el primer paso en la búsqueda de la felicidad es aprender. Primero tenemos que aprender cómo las emociones y los comportamientos negativos son nocivos y cómo son útiles las emociones positivas. Tenemos que darnos cuenta de que dichas emociones no sólo son malas para cada uno de nosotros, personalmente, sino también para la sociedad y el futuro del mundo. Saberlo fortalece nuestra determinación de afrontarlas y superarlas. Por otra parte, debemos ser conscientes de los efectos beneficiosos de las emociones y comportamientos positivos; ello nos llevará a cultivar, desarrollar y aumentar esas emociones, por difícil que sea: tenemos una fuerza interior espontánea. A través de este proceso de aprendizaje, del análisis de pensamientos y emociones, desarrollamos gradualmente la firme determinación de cambiar, con la certidumbre de que tenemos en nuestras manos el secreto de nuestra felicidad, de nuestro futuro, y de que no debemos desperdiciarlo.

»En el budismo se acepta el principio de causalidad como una ley natural. Al tratar con la realidad, hay que tener en cuenta esa ley. Así, por ejemplo, en el campo de las experiencias cotidianas, si se producen ciertos acontecimientos indeseables, el mejor método para asegurarse de que no vuelvan a ocurrir es procurar que no se repitan las condiciones que los producen. De modo similar, si quieres tener una experiencia determinada, lo más lógico es buscar y acumular aquellas causas y condiciones que la favorecen.

»Sucede lo mismo con los estados y las experiencias mentales. Si se desea la felicidad, se deberían buscar las causas que en otras ocasiones la han producido, y si no se desea el sufrimiento, debería procurarse que no vuelvan a presentarse las causas y condiciones que dieron lugar al mismo. Es muy importante aprender a apreciar este principio.

»Hemos hablado de la importancia suprema del factor mental para alcanzar la felicidad. Nuestra siguiente tarea, por tanto, consiste en examinar la variedad de estados mentales que experimentamos. Necesitamos identificarlos con claridad y clasificarlos en función de que nos conduzcan o no a la felicidad.

—¿Podría indicarme algunos ejemplos específicos de diferentes estados mentales y cómo los clasificaría? —le pregunté.

—Por ejemplo, el odio, los celos, la cólera, son nocivos —explicó el Dalai Lama—. Los consideramos estados negativos de la mente porque destruyen nuestro bienestar mental; cuando se abrigan sentimientos de odio o de animadversión hacia alguien, cuando la persona se siente llena de odio o de emociones negativas, todo nos parece hostil. La consecuencia es que hay más temor, una mayor inhibición e indecisión, una sensación de inseguridad. Estas cosas, al igual que la soledad, se desarrollan en un mundo que se considera hostil. Todos estos sentimientos negativos se desarrollan debido al odio. Por otro lado, los estados mentales como la afabilidad y la compasión son definitivamente muy positivos. Son muy útiles...

—Siento curiosidad —le interrumpí—. Dice que hay miles de estados mentales diferentes. ¿Cuál sería su definición de una persona psicológicamente saludable o bien adaptada? Podríamos utilizar esa definición como guía para determinar qué estados mentales cultivar.

Se echó a reír y luego respondió con su característica humildad:

—Es muy probable que, como psiquiatra, tenga usted una definición mejor de la persona psicológicamente saludable.

—Pero me interesa su punto de vista.

—Bueno, yo considero saludable a una persona compasiva, cálida y de corazón bondadoso. «Si tienes sentimientos de compasión y deseas ser amable, hay algo que abre automáticamente tu puerta interior y puedes comunicarte mucho más fácilmente con otras personas. Ese sentimiento de cordialidad ayuda a abrirse a los demás. Se descubre entonces que todos los seres humanos son como uno mismo, de modo que puedes relacionarte más fácilmente con ellos.» Eso genera un espíritu de amistad. Entonces hay menos necesidad de ocultar las cosas y, como resultado, desaparecen los sentimientos de temor, las dudas

45

sobre uno mismo y la inseguridad. Eso inspira también confianza en torno a ti. Podría pasar, por ejemplo, que encontraras a alguien muy competente, y supieras que puedes confiar en sus aptitudes, pero si esa persona no es amable, surgen en ti algunas reservas. Piensas: «Bueno, sé que es capaz, pero ¿puedo confiar realmente en él?». El recelo siempre te distanciará.

»En cualquier caso, creo que cultivar los estados mentales positivos, como la amabilidad y la compasión, conduce decididamente a una mejor salud psicológica y a la felicidad.

## Disciplina mental

Mientras él hablaba, encontré algo muy atractivo en su enfoque para alcanzar la felicidad. Era absolutamente práctico y racional: había que identificar y cultivar los estados mentales positivos, así como identificar y eliminar los estados mentales negativos. Aunque inicialmente me pareció un tanto seca esta sugerencia de analizar sistemáticamente la variedad de estados mentales que experimentamos, después me dejé arrastrar por la fuerza lógica de su razonamiento. Me gustó el hecho de que, en lugar de clasificar estados mentales, emociones o deseos con arreglo a juicios morales externos, como «La avaricia es un pecado», o «El odio es maligno», clasificara las emociones simplemente sobre la base de si conducen o no a la felicidad última.

La tarde siguiente, al reanudar nuestra conversación, le pregunté:
—Si la felicidad depende simplemente del cultivo de estados mentales positivos, como por ejemplo la afabilidad, ¿por qué hay tanta gente desdichada?
—Alcanzar la verdadera felicidad exige producir una transformación en las perspectivas, en la forma de pensar, y eso no es tan senci-

llo —contestó—. Para ello es preciso aplicar muchos factores diferentes desde distintas direcciones. No se debería tener, por ejemplo, la idea de que sólo existe una clave, un secreto que, si se llega a desvelar, hará que todo marche bien. Es como cuidar adecuadamente del propio cuerpo; se necesitan diversas vitaminas y nutrientes, no sólo uno o dos. Del mismo modo, para alcanzar la felicidad hay que utilizar una variedad de enfoques y métodos, superar los variados y complejos estados negativos. Si tratas de superar ciertas formas negativas de pensar, no podrás conseguirlo practicando una técnica una o dos veces. El cambio requiere tiempo. Hasta el cambio físico lo exige. Si te trasladas de un clima a otro, por ejemplo, el cuerpo necesita tiempo para adaptarse. Hay muchos rasgos mentales negativos, de modo que afrontarlos y contraatacar no es fácil. Requiere la reiterada aplicación de diversas técnicas y tomarse el tiempo necesario para familiarizarse con ellas. Se trata de un proceso de aprendizaje.

»A medida que pasa el tiempo, se van acumulando los cambios positivos. Cada día, al levantarte, puedes desarrollar una sincera motivación positiva al pensar: "Utilizaré este día de una forma más positiva. No desperdiciaré este día". Luego, por la noche, antes de acostarte, analiza lo que has hecho y pregúntate: "¿Utilicé este día como lo tenía previsto?". Si todo se desarrolló tal como lo habías pensado, deberías alegrarte por ello. Si alguna cosa salió mal, lamenta lo que hiciste y examínalo críticamente. Gracias a métodos como éste, puedes ir fortaleciendo los aspectos positivos de la mente.

»En mi caso, por ejemplo, como monje creo en el budismo y, a través de mi experiencia, sé que su práctica es muy útil para mí. No obstante, pueden surgir ciertos sentimientos, como cólera o apego, debido a la costumbre o a muchas vidas anteriores. Hago entonces lo siguiente: primero aprender el valor positivo de las prácticas, luego incrementar mi determinación y finalmente tratar de ponerlas en práctica. Al principio, la utilización de las prácticas positivas es muy débil, porque las influencias negativas siguen siendo muy poderosas. Finalmente, sin embargo, a medida que intensificas las prácticas positivas, disminuyen los comportamientos negativos. Así que, en realidad, la práctica del *Dharma** es una batalla constante dentro de nosotros, en la que se trata de sustituir el condicionamiento o la costumbre negativa por un condicionamiento positivo.

Tras una pausa, continuó:

—No hay actividad que no se torne más fácil gracias al entrenamiento constante. Podemos cambiar, transformarnos a través del entrenamiento. En la práctica budista existen varios métodos para mantener una mente serena cuando sucede algo perturbador. La práctica repetida de ellos nos permite llegar a un punto en el que los efectos negativos de una perturbación no pasen más allá del nivel superficial de nuestra mente, como las olas que agitan la superficie del océano pero que no tienen gran efecto en sus profundidades. Y aunque mi experiencia sea escasa, he descubierto que eso es cierto. Por tanto, si recibo una noticia trágica, es posible que experimente alguna perturbación en la mente, pero ésta desaparece muy rápidamente. O quizá me sienta irritado y manifieste enfado, pero siempre se disipa con rapidez. Eso es lo que se logra mediante la práctica gradual. No olvidemos que no es algo que se consiga de la noche a la mañana.

* El término *Dharma* tiene muchas connotaciones; no existe un equivalente exacto en el léxico español. Se utiliza con frecuencia para referirse a las enseñanzas y doctrina de Buda, incluido el cuerpo tradicional de escrituras, así como el estilo de vida y la conciencia que se derivan de la aplicación de las enseñanzas. A veces, los budistas utilizan la palabra en un sentido general, para referirse a prácticas espirituales o religiosas, a la ley espiritual universal o a la verdadera naturaleza de los fenómenos, y el término *Buddhadharma*, más específico, para los principios y prácticas del camino budista. La palabra sánscrita *Dharma* deriva de una raíz que significa «sostener» y, en este sentido, tiene un significado más amplio, al referirse a cualquier comportamiento o comprensión que sirva para «sostener» al individuo y protegerlo del sufrimiento y sus causas.

Desde luego que no. El Dalai Lama lleva ejercitando su mente desde que tenía cuatro años.

La estructura y la función del cerebro permiten el entrenamiento sistemático de la mente, el cultivo de la felicidad, la genuina transformación interna mediante la atención hacia los estados mentales positivos y el rechazo de los negativos. Hemos nacido con un cerebro que está genéticamente dotado de ciertas pautas de comportamiento instintivo; estamos predispuestos mental, emocional y físicamente a responder adecuadamente para sobrevivir. Este conjunto básico de instrucciones está codificado en innumerables pautas innatas de activación de las células nerviosas, en combinaciones específicas de células cerebrales que actúan en respuesta a cualquier acontecimiento, experiencia o pensamiento dado. Pero el cableado de nuestro cerebro no es estático, ni está fijado de modo irrevocable. Nuestros cerebros también son adaptables. Los neurólogos han documentado el hecho de que el cerebro es capaz de diseñar nuevas pautas, nuevas combinaciones de células nerviosas y neurotransmisores (sustancias químicas que transmiten mensajes entre las células nerviosas) en respuesta a nuevas informaciones. De hecho, nuestros cerebros son maleables, cambian continuamente, recomponen sus conexiones nerviosas al compás de nuevos pensamientos y experiencias. Como resultado del aprendizaje, la función de las neuronas cambia, permitiendo que las señales eléctricas viajen más fácilmente a través de ellas. A la capacidad inherente del cerebro para cambiar, los científicos la llaman «plasticidad».

Esta capacidad para modificar el «cableado» del cerebro, para producir nuevas conexiones neuronales, ha quedado demostrada en experimentos como el realizado por los doctores Avi Karni y Leslie Underleider, del Instituto Nacional de Salud Mental. Los investigadores pidieron a los sujetos que realizaran una sencilla tarea motora, un ejercicio de tecleo, e identificaron las partes del cerebro implicadas en la tarea, tomando un escáner cerebral MRI. A continuación, los sujetos practicaron diariamente el ejercicio durante cuatro semanas, de modo que gradualmente fueron más eficientes y rápidos en su ejecución. Al final del período de cuatro semanas, el escáner cerebral mostró que la zona que intervenía en la tarea se había expandido, lo que indicaba que la práctica regular de la tarea había exigido la utilización de nuevas células nerviosas y cambiado las conexiones neuronales originarias.

Esta notable hazaña del cerebro parece constituir la base fisiológica de la posibilidad de transformar nuestras mentes. Al movilizar nuestros pensamientos y practicar nuevas formas de pensar, podemos reconfigurar nuestras células nerviosas y cambiar la forma en que funciona nuestro cerebro. También constituye la base para la idea de que la transformación interna se inicia con el aprendizaje (nueva información) e implica la disciplina de sustituir gradualmente nuestro «condicionamiento negativo» (que se corresponde con nuestra característica actual de pautas de activación celular nerviosa) por un «condicionamiento positivo» (formar nuevos circuitos neuronales). Así pues, la idea de entrenar a la mente para alcanzar la felicidad se convierte en una posibilidad real.

## Disciplina ética

En un análisis posterior relacionado con el entrenamiento de la mente para la felicidad, el Dalai Lama señaló:

—Creo que el comportamiento ético es otra característica de la clase de disciplina interna que conduce a una existencia más feliz. A eso podríamos llamarlo disciplina ética. Los grandes maestros espirituales, como Buda, nos aconsejan realizar acciones sanas y evitar las que no lo sean, lo cual depende del grado de disciplina mental. Una mente disciplinada conduce a la felicidad y una mente indisciplinada al sufrimiento; de hecho, imponer disciplina en la propia mente es la esencia misma de la enseñanza de Buda.

»Al hablar de disciplina, me estoy refiriendo a autodisciplina, no a lo que se nos impone externamente. También me refiero a la disciplina aplicada para superar los rasgos negativos. Una banda criminal puede necesitar disciplina para cometer un atraco con éxito, pero esa disciplina es inútil.

El Dalai Lama calló un momento; parecía reflexionar, como si recopilara sus pensamientos. O quizá estaba buscando simplemente una palabra adecuada en inglés. No lo sé. Pero durante esa pausa pensé que su énfasis en la importancia del aprendizaje y la disciplina era tedioso en comparación con los sublimes objetivos de alcanzar la verdadera felicidad, el crecimiento espiritual y la completa transformación interna. Me parecía que la búsqueda de la felicidad tenía que ser un proceso más espontáneo.

Por tanto, objeté:

—Ha descrito las emociones y comportamientos negativos como insanos y los comportamientos positivos como sanos. Además, ha dicho que una mente no entrenada o indisciplinada suele provocar comportamientos negativos o insanos, de modo que tenemos que aprender y entrenarnos para aumentar nuestros comportamientos positivos. Por el momento, todo eso está muy bien.

»Pero lo que me preocupa es su definición de comportamiento negativo que conduce al sufrimiento. Y su premisa de que todos los seres desean, naturalmente, evitar el sufrimiento y alcanzar la felicidad, que ese deseo es innato y no tiene que ser aprendido. La cuestión, por lo tanto, es la siguiente: si es natural que deseemos evitar el sufrimiento, ¿por qué no sentimos espontánea y naturalmente más repulsión hacia los comportamientos negativos a medida que nos hacemos mayores? Y si es natural el deseo de alcanzar la felicidad, ¿por qué no nos sentimos espontánea y naturalmente atraídos hacia los comportamientos sanos y llegamos así a ser más felices a medida que progresa nuestra vida? Si estos comportamientos sanos conducen a la felicidad y lo que deseamos es alcanzarla, ¿no debería ser ése un proceso natural? ¿Por qué necesitamos tanta educación, entrenamiento y disciplina para que se produzca?

El Dalai Lama sacudió la cabeza y contestó:

—Incluso en términos convencionales, en nuestra vida cotidiana, consideramos la educación como un factor muy importante para procurarnos felicidad y éxito. El conocimiento no es algo que llegue hasta nosotros de un modo natural. Tenemos que practicar, tenemos que pasar por una especie de programa sistemático de entrenamiento. Y consideramos que esa educación y entrenamiento convencionales son bastante duros; si no lo fueran, ¿por qué los estudiantes tienen tantas ganas de que lleguen las vacaciones? Y, sin embargo, sabemos que la educación es necesaria en términos generales para alcanzar el éxito y el bienestar.

»Del mismo modo, es posible que no tengamos una inclinación natural a realizar actos sanos, que tengamos que ser conscientemente entrenados para realizarlos. Esto es así, particularmente en la sociedad moderna, porque hay una tendencia a aceptar que todo lo referido a actos sanos e insanos (qué debemos y qué no debemos hacer) pertenece al ámbito de la religión. Tradicionalmente, se ha considerado responsabilidad de la religión el prescribir qué comportamientos son sanos y cuáles no. En la sociedad actual, sin embargo, la religión ha perdido mucho de su prestigio e influencia. Y, al mismo tiempo, no ha surgido algo que pueda sustituirla, algo como por ejemplo una ética laica. Así pues, parece que se presta menos atención a la necesidad de llevar una vida saludable. Debido a ello, creo que necesitamos realizar un esfuerzo para tener acceso a esa clase de conocimiento. Por ejemplo, aunque creo que nuestra naturaleza es fundamentalmente apacible y compasiva, no es suficiente: tenemos que desarrollar una aguda conciencia de esa condición. Cambiar nuestra forma de percibirnos, a través del aprendizaje y la comprensión, puede ejercer una influencia poderosa en nuestra relación con los demás y en la conducción de nuestras vidas.

Asumiendo el papel de abogado del diablo, contraataqué:

—Ha utilizado usted la analogía de la educación académica y la formación convencional. Eso es una cosa. Pero si de lo que está hablando es de ciertos comportamientos que llama «sanos» o positivos, que conducen a la felicidad, y de otros que conducen al sufrimiento, ¿por qué se necesita aprender tanto para identificar cuáles son beneficiosos, tanto entrenamiento para poner en práctica los comportamientos positivos y eliminar los negativos? Si pone el dedo en el fuego, se quema. Cuando retira la mano, ha aprendido que ese comportamiento provoca sufrimiento. No hay necesidad de un proceso tan largo de aprendizaje y entrenamiento para saber que no debemos volver a tocar el fuego.

»Entonces, ¿por qué no sucede lo mismo con todos los comportamientos y emociones que conducen al sufrimiento? Afirma que la cólera y el odio son claramente emociones negativas que, en último término, conducen al sufrimiento. Pero ¿por qué tiene uno que ser educado acerca de los efectos nocivos de la cólera y el odio para poder eliminarlos? Puesto que la cólera provoca inmediatamente un estado emocional incómodo en la persona, y es fácil percibir esa incomodidad, ¿por qué no la evitamos de un modo espontáneo?

Mientras el Dalai Lama escuchaba atentamente mis argumentos, sus ojos de mirada inteligente se abrieron más, como si se sintiera un poco sorprendido e incluso divertido ante la ingenuidad de mis preguntas. Entonces, con una risa dura pero llena de buena voluntad, me contestó:

—Cuando se habla de conocimiento que conduce a la libertad o a la resolución de un problema, hay que entender que existen muchos niveles diferentes. Por ejemplo, los seres humanos de la Edad de Piedra no sabían cocinar la carne, a pesar de lo cual tenían necesidad biológica de comerla, de modo que lo hacían como los animales salvajes. A medida que fueron progresando, aprendieron a cocinar y a emplear diferentes técnicas para que los alimentos fueran más sabrosos; finalmente inventaron una considerable variedad de platos. En nuestra época, si padecemos una enfermedad y, gracias a nuestro conocimiento, sabemos que no es bueno para nosotros comer determinado alimento, aunque sintamos el deseo de probarlo procuramos contenernos. Está claro que cuanto más vastos sean nuestros conocimientos, tanto más aptos seremos para afrontar el mundo natural.

»También se necesita capacidad para juzgar las consecuencias de nuestros comportamientos a largo y a corto plazo. Por ejemplo, aunque los animales puedan experimentar cólera, no pueden comprender que es destructiva. En el caso de los seres humanos, sin embargo, hay un nivel diferente de conciencia, que permite advertir que la cólera hace daño. En consecuencia, puedes llegar a la conclusión de que la cólera es destructiva. Tienes que ser capaz de hacer esa inferencia. Así que la cosa no es tan sencilla como poner la mano en el fuego, notar la quemadura y no volver a hacerlo en el futuro. Cuanto más elevado sea tu nivel de educación y de conocimiento acerca de lo que conduce a la felicidad y lo que causa el sufrimiento, tanto más efectivo serás para alcanzar aquélla. Precisamente por ello creo que la educación y el conocimiento son esenciales.

Supongo que al percibir mi resistencia a la idea de la educación como un medio de transformación interna, observó:

—Uno de los problemas de nuestra sociedad es que considera la educación sólo como un medio para ser más astuto e ingenioso. En ocasiones incluso se opina que los que no han recibido una educación superior, los que son menos sutiles en términos de su formación, tienen que ser más inocentes y más honrados. Aunque nuestra sociedad no lo destaque, el uso más importante del conocimiento y de la educación consiste en ayudarnos a comprender la importancia de tener más acciones sanas y aportar disciplina a nuestras mentes. La utilización adecuada de nuestra inteligencia y conocimientos estriba en efectuar cambios desde dentro para desarrollar un buen corazón.

# 4

# Recuperar nuestro
# estado innato de felicidad

## Nuestra naturaleza fundamental

—Estamos hechos para buscar la felicidad. Y está claro que los sentimientos de amor, afecto, intimidad y compasión traen consigo la felicidad. Estoy convencido de que todos poseemos la base para ser felices, para acceder a esos estados cálidos y compasivos de la mente que aportan felicidad —afirmó el Dalai Lama—. De hecho, una de mis convicciones fundamentales es que no sólo poseemos el potencial necesario para la compasión, sino que la naturaleza básica o fundamental de los seres humanos es la benevolencia.

—¿En qué funda esa convicción?

—La doctrina de la «naturaleza de Buda» aporta fundamentos para creer que la naturaleza de todos los seres sensibles es esencialmente benévola y no agresiva.* Pero ese punto de vista también se puede adoptar sin necesidad de recurrir a la «naturaleza de Buda».

---

* En la filosofía budista, la «naturaleza de Buda» se refiere a la naturaleza fundamental, básica y más sutil de la mente. Presente en todos los seres humanos, no puede alcanzarse cuando hay emociones o pensamientos negativos.

También baso esta convicción en otros motivos. Creo que la cuestión del afecto y la compasión no pertenece exclusivamente a la esfera religiosa, sino que es indispensable en las consideraciones cotidianas.

»Si analizamos la existencia, vemos que estamos fundamentalmente alentados por el afecto de los demás. Eso es algo que se inicia ya en el momento de nacer. Nuestro primer acto después de nacer es mamar de nuestra madre, o de alguna otra mujer. Hay en ello afecto y compasión. Sin eso no podríamos sobrevivir, está claro. Y esa acción no puede realizarse a menos que exista un sentimiento mutuo de afecto. El niño, si no nota sentimientos de afecto, si no tiene vinculación con la persona que le da la leche, es posible que rechace el alimento. Y si no hay afecto por parte de la madre o de alguna otra persona, es posible que no se le ofrezca libremente la leche. Así es la vida. Ésa es la realidad.

»Nuestra propia estructura física parece corresponderse con los sentimientos de amor y compasión. Un estado mental sereno y afectuoso tiene efectos beneficiosos para nuestra salud. Y, a la inversa, los sentimientos de frustración, temor, agitación y cólera pueden ser destructivos para ella.

»También observamos que nuestro equilibrio emocional se robustece gracias a los sentimientos de afecto. Para comprenderlo sólo tenemos que pensar en cómo nos sentimos cuando otros nos manifiestan calor y afecto. También podemos observar cómo nos afectan nuestros sentimientos. Estas emociones positivas y los comportamientos que las acompañan conducen a una vida familiar y social más feliz.

»Creo que podemos inferir de ello que nuestra naturaleza fundamental es la bondad y el amor. Por tanto, nada tiene más sentido que intentar vivir en concordancia con esta naturaleza.

—Si nuestra naturaleza esencial es amable y compasiva —pregunté—, ¿cómo explica todos los conflictos y comportamientos agresivos que nos rodean?

El Dalai Lama asintió, con gesto reflexivo, antes de contestar.

—Naturalmente, no podemos pasar por alto el hecho de que los conflictos y las tensiones existen, no sólo dentro del individuo, sino también en la familia, en nuestras relaciones, nuestro país y el mundo. Así pues, al abordar esta situación, algunas personas llegan a la conclusión de que la naturaleza humana es básicamente agresiva. Quizá miren la historia humana y sugieran que, en comparación con otros mamíferos, el comportamiento humano es mucho más agresivo. O quizá admitan: «Sí, la compasión forma parte de nosotros, pero la cólera también. Ambas constituyen una parte de nuestra naturaleza, ambas se encuentran más o menos al mismo nivel». A pesar de todo —siguió diciendo con firmeza, adelantando la cabeza, tenso y alerta—, sigo estando convencido de que la naturaleza humana es esencialmente compasiva y bondadosa. Ésa es la característica predominante. La cólera, la violencia y la agresividad pueden surgir, ciertamente, pero creo que se producen en un nivel secundario y más superficial; en cierto modo, brotan cuando nos sentimos frustrados en nuestros esfuerzos por lograr amor y afecto. No forman parte de nuestra naturaleza básica.

»Así pues, aunque puede haber agresividad, estoy convencido de que no proviene del sustrato humano fundamental, sino que es más bien el resultado del intelecto, de la inteligencia desequilibrada, del mal uso de ella, o de nuestra imaginación. Al contemplar la evolución humana, creo que, en comparación con otros animales, nuestro cuerpo es muy débil. Gracias, sin embargo, al desarrollo de la inteligencia, fuimos capaces de utilizar muchos instrumentos y descubrir métodos de afrontar situaciones ambientales adversas. A medida que la sociedad humana y las condiciones de vida fueron haciéndose más complejas, el papel de la inteligencia y la capacidad cognitiva para satisfacer crecientes exigencias cobró mayor importancia. Por tanto, creo que nuestra naturaleza subyacente o fundamental es la afable, y que la inteligencia viene de una evolución posterior. Y si la inteligencia y la capacidad cognitiva se desarrollan de forma desequilibrada, sin ser adecuadamente contrarrestadas por la compasión, pueden ser destructivas y conducir al desastre.

»Pero también es importante reconocer que si bien los conflictos son originados por el mal uso de la inteligencia, podemos utilizar ésta para descubrir medios que nos permiten superarlos. Al utilizar conjuntamente la inteligencia y la bondad, todas las acciones humanas son constructivas. Al combinar un corazón cálido con el conocimiento y la educación, aprendemos a respetar los puntos de vista y los derechos de los demás. Eso es el cimiento de un espíritu de reconciliación que sirva para superar la agresión y resolver nuestros conflictos.

El Dalai Lama hizo una pausa y miró su reloj.

—Así que, por mucha violencia que exista y a pesar de las penalidades por las que tengamos que pasar, estoy convencido de que la solución definitiva de nuestros conflictos, tanto internos como externos, consiste en volver a nuestra naturaleza humana básica, que es bondadosa y compasiva.

Miró de nuevo su reloj y empezó a reír de un modo afable.

—Y ahora... creo que es mejor que lo dejemos aquí. ¡Ha sido un día muy largo!

Recogió los zapatos que se había quitado durante la conversación y se retiró a su habitación.


## La cuestión de la naturaleza humana

Durante las últimas décadas, la visión del Dalai Lama sobre la naturaleza compasiva de los seres humanos parece estar ganando terreno en Occidente, fruto de un gran esfuerzo. En el pensamiento occidental se halla profundamente arraigada la idea de que el comportamiento humano es esencialmente egoísta. Nuestra cultura se ha visto dominada durante siglos por la convicción de que no sólo somos congénitamente egoístas, sino también agresivos. Claro que asimismo son muchas las personas que han mantenido el punto de vista opuesto. A mediados del siglo XVIII, por ejemplo, David Hume escribió mucho sobre la «benevolencia natural» de los seres humanos. Un siglo más tarde, incluso Charles Darwin atribuyó a nuestra especie un «instinto de simpatía». Pero, por alguna razón, en nuestra cultura ha echado raíces el punto de vista más pesimista sobre la humanidad, al menos desde el siglo XVII, bajo la influencia de filósofos como Thomas Hobbes, quien tuvo una visión bastante pesimista de la especie humana, a la que consideraba violenta, competitiva y en conflicto continuo, únicamente preocupada por el interés propio. Hobbes, que se hizo famoso por descartar cualquier atisbo de bondad humana básica, fue descubierto en cierta ocasión dándole dinero a un mendigo, en la calle. Al ser interrogado acerca de este impulso de generosidad, afirmó: «No lo hago para ayudarle, sino para aliviar mi propia angustia al ver su pobreza».

De modo similar, en la primera parte de este siglo, el filósofo George Santayana, dc origen español, escribió que los impulsos generosos y de preocupación por los demás son generalmente débiles, fugaces e inestables, y «si se escarba un poco por debajo de la superficie se encontrará un hombre feroz, obstinado y profundamente egoísta». Desgraciadamente, la ciencia y la psicología occidentales se aferraron a ideas como éstas, admitiendo e incluso estimulando dicho egoísmo. Durante los primeros tiempos, la moderna psicología científica persistió en la suposición de que toda motivación humana es, en último término, egoísta y se basa puramente en el propio interés.

Después de aceptar implícitamente la premisa de nuestro egoísmo connatural, destacados científicos han añadido, durante los últimos cien años, la creencia en la naturaleza esencialmente agresiva de los seres humanos. Freud afirmó que «la inclinación hacia la agresión es una disposición original e instintiva que se sustenta a sí misma». En la segunda mitad de este siglo hubo dos autores en particular, Robert Ardrey y Konrad Lorenz, que examinaron las pautas del comportamiento de ciertas especies animales depredadoras y llegaron a la conclusión de que los seres humanos también eran básicamente depredadores, dotados de una tendencia innata a luchar por la posesión de territorio.

En los últimos años, sin embargo, el péndulo parece alejarse de esta visión profundamente pesimista, para acercarse a la sustentada por el Dalai Lama, la de la naturaleza bondadosa y compasiva del hombre. Durante las dos o tres últimas décadas cientos de estudios científicos indican que la agresividad no es innata y que el comportamiento violento está influido por factores biológicos, sociales, situacionales y ambientales. La síntesis de estas recientes investigaciones se refleja en la Declaración de Sevilla sobre la Violencia, en 1986, redactada por más de veinte destacados científicos de todo el mundo. En ella, se reconoce, naturalmente, que el comportamiento violento existe, pero se afirma categóricamente que es científicamente incorrecto decir que tenemos una tendencia heredada a hacer la guerra o actuar con violencia. Ese comportamiento no se encuentra genéticamente en el hombre. Los científicos dijeron que a pesar de tener un aparato neuronal apto para actuar con violencia, ese comportamiento no se activa automáticamente. En nuestra neurofisiología no hay nada que nos impulse a actuar con violencia. Al examinar el tema de la naturaleza humana básica, la mayoría de los investigadores de este campo tienen la impresión de que poseemos potencial para desarrollarnos como personas bondadosas o agresivas, y que prevalezca uno u otro impulso depende en buena medida de nuestra formación.

Los investigadores contemporáneos no sólo han rechazado la tesis de la agresividad innata, sino también la del egoísmo. Investigadores como C. Daniel Batson o Nancy Eisenberg, de la Universidad Estatal de Arizona, han realizado numerosos estudios en los que se demuestra que los seres humanos tenemos una tendencia hacia el comportamiento altruista y algunos científicos, como la socióloga Linda Wilson, tratan de descubrir la causa. La doctora Wilson ha teorizado que el altruismo puede formar parte de nuestro instinto básico de supervivencia, precisamente lo opuesto a las ideas de pensadores anteriores, quienes sostuvieron que la hostilidad y la agresividad eran la característica constitutiva de nuestro instinto de supervivencia. Al examinar más de cien grandes desastres naturales, la doctora Wilson encontró una fuerte tendencia altruista entre las víctimas, lo que parecía formar parte del proceso de recuperación. Descubrió que la ayuda mutua tendía a evitar problemas psicológicos derivados de situaciones traumáticas.

La tendencia a establecer estrechos vínculos con los demás, actuando en favor del bienestar colectivo, puede estar profundamente enraizada en la naturaleza humana, por haberse forjado en un remoto pasado, cuando aquellos que pasaban a formar parte de un grupo tenían mayores probabilidades de supervivencia. Esta necesidad de estrechos lazos sociales persiste en la actualidad. En un estudio realizado por el doctor Larry Scherwitz, que examina los factores de riesgo de enfermedades coronarias, se ha descubierto que las personas más centradas en sí mismas (quienes suelen utilizar más los pronombres «yo», «mi» y «mío» en una entrevista) eran las más propensas a desarrollarlas, a pesar de mantener refrenados muchos comportamientos amenazadores para la salud. Los científicos están descubriendo que las personas sin estrechos lazos sociales tienen una salud deficiente, niveles más elevados de infelicidad y son más vulnerables al estrés.

Abrirse para ayudar a los demás puede ser tan fundamental para nuestra naturaleza como la comunicación. Podría establecerse una analogía con el desarrollo del lenguaje, que, como la capacidad para la compasión y el altruismo, es una de las magníficas características de la raza humana. Hay zonas del cerebro específicamente dotadas para el desarrollo del lenguaje. Si nos vemos expuestos a unas condiciones ambientales correctas, como por ejemplo una sociedad en la que se habla, esas zonas del cerebro empiezan a desarrollarse y a madurar y aumenta nuestra capacidad para el lenguaje. Del mismo modo, todos los seres humanos pueden poseer la «semilla de la compasión», que florecerá en condiciones adecuadas, en el hogar, en el conjunto de la sociedad quizá, más tarde, gracias a nuestros propios y decididos esfuerzos. Animados por esta idea, los investigadores tratan de descubrir ahora cuáles son las condiciones ambientales óptimas para la maduración de esa semilla en los niños. Por el momento han identificado varios factores: tener padres capaces de regular sus propias emociones, con un comportamiento altruista que los niños puedan imitar, que establezcan límites apropiados para el comportamiento del niño, que infundan en él responsabilidad y que utilicen el razonamiento para dirigir su atención hacia estados afectivos y hacia las consecuencias que puede tener su comportamiento sobre los demás.

Revisar nuestros presupuestos sobre la naturaleza fundamental de los seres humanos, pasando de lo hostil a lo cooperativo, abre nuevas posibilidades ante nosotros. Si empezamos por asumir el modelo del propio interés de todo comportamiento humano, el niño sirve como un ejemplo perfecto, como una «prueba» de esa teoría. En el momento de nacer, parece tener una sola cosa en su mente: la satisfacción de sus necesidades, como la alimentación y el bienestar físico. Pero si dejamos de lado esa suposición, empieza a surgir ante nosotros una imagen completamente nueva. Podemos decir entonces, con la misma facilidad, que el niño nace programado sólo para aportar placer y alegría a los demás. Al observar a un niño sano, sería difícil negar la naturaleza bondadosa de los seres humanos. A partir de esto, podríamos argumentar que el niño tiene una capacidad innata para aportar placer a otro, a la persona que lo cuida. Un recién nacido, por ejemplo, sólo tiene desarrollado un cinco por ciento del sentido del olfato, en comparación con un adulto, mientras que el sentido del gusto es más débil aún. Pero estos sentidos en el recién nacido están polarizados en el olor y el sabor de la leche. El acto de mamar no sólo le aporta nutrientes, sino que también sirve para aliviar la tensión en el pecho de la madre. Así pues, podríamos decir que el niño nace con la capacidad innata para producir placer en la madre, al aliviar la tensión en su pecho.

Un niño también está biológicamente programado para reconocer y responder, y son muy pocas las personas que no experimentan un verdadero placer cuando un bebé las mira inocentemente a los ojos y les sonríe. Algunos etólogos han sugerido que cuando un niño sonríe a la persona que lo cuida, o la mira directamente a los ojos, está siguiendo una «pauta biológica» profundamente enraizada, que «provoca» comportamientos bondadosos, tiernos y atentos en esa persona, que también son instintivos. Conforme avanza la investigación de la naturaleza, la noción del niño como un pequeño manojo de egoísmo, como una máquina de comer y dormir, va dejando paso a la de un ser que llega al mundo dotado de un mecanismo para complacer a los demás, y que sólo necesita condiciones ambientales adecuadas para que germine y crezca en él la «semilla de la compasión», fundamental y natural.

Una vez que llegamos a la conclusión de que la naturaleza básica de la humanidad es compasiva en lugar de agresiva, nuestra relación con el mundo que nos rodea cambia inmediatamente. Ver a los demás como básicamente compasivos en lugar de hostiles y egoístas nos ayuda a relajarnos, a confiar, a sentirnos a gusto. Nos hace más felices.

## Meditación sobre el propósito de la vida

Esa semana, mientras el Dalai Lama estaba en el desierto de Arizona, dedicado a explorar la naturaleza humana y a examinar la mente con el escrutinio de un científico, una sencilla verdad pareció iluminar todas las discusiones: el propósito de nuestra vida es la felicidad. Esa simple afirmación puede utilizarse como una poderosa herramienta para navegar a través de los problemas cotidianos. Desde esa perspectiva, nuestra tarea consiste en descartar las que conducen al sufrimiento y acumular aquellas otras que conducen a la felicidad. El método, la práctica diaria, supone incrementar nuestra comprensión de lo que conduce verdaderamente a la felicidad.

Cuando la vida se hace demasiado complicada y nos sentimos abrumados, a menudo resulta muy útil retroceder un poco y recordar cuál es nuestro propósito, nuestro objetivo esencial. Al afrontar la sensación de estancamiento y confusión, puede sernos útil tomar una hora, una tarde o incluso varios días para reflexionar y determinar qué es lo que nos aportará verdaderamente felicidad, para luego organizar nuestras prioridades. Eso puede resituar nuestra vida en el contexto adecuado, permitir una nueva perspectiva y ver el camino correcto.

De vez en cuando, tenemos que afrontar decisiones fundamentales que pueden afectar al curso de nuestras vidas. Quizá decidamos, por ejemplo, contraer matrimonio, tener hijos o estudiar para ser abogados, artistas o electricistas. Una de dichas decisiones puede ser también la firme resolución de ser felices, de conocer los factores que conciernen a la consecución de la felicidad y dar pasos en esa dirección. Volverse hacia la felicidad como un objetivo alcanzable y tomar la decisión de buscarla de manera sistemática, puede cambiar profundamente nuestra vida.

El conocimiento que tiene el Dalai Lama de los factores que, en último término, conducen a la felicidad, proviene de toda una vida de observación metódica de su propia mente, de exploración de la condición humana, dentro del marco establecido por Buda hace veinticinco siglos. Así, el Dalai Lama ha llegado a algunas conclusiones definitivas sobre qué actividades y pensamientos son más valiosos. Sintetizó sus convicciones en las siguientes palabras, sobre las que se debe meditar.

—A veces, al encontrarme con viejos amigos, recuerdo lo rápidamente que pasa el tiempo. Y eso hace que me pregunte si lo utilizamos adecuadamente. La utilización adecuada del tiempo es muy importante. Con este cuerpo y especialmente con este extraordinario cerebro humano, cada minuto es precioso. Nuestra existencia cotidiana está llena de esperanza, a pesar de que nada garantiza nuestro futuro. Nada nos asegura que mañana, a esta misma hora, estaremos aquí. A pesar de ello, trabajamos esperanzados. Así pues, necesitamos hacer el mejor uso posible de él. Estoy convencido de que la utilización adecuada del tiempo consiste en servir a otras personas, a otros seres sensibles. Si no pudiera ser así, evitemos al menos causarles daño. Creo que ésa es toda la base de mi filosofía.

»Así pues, reflexionemos sobre cuál es el verdadero valor en la vida, qué da significado a nuestras vidas, y establezcamos nuestras prioridades sobre esa base. El propósito de nuestra vida ha de ser positivo. No nacimos con el propósito de causar problemas, de hacer daño a los demás. Para que nuestra vida sea valiosa, tenemos que desarrollar buenas cualidades, como cordialidad, afabilidad y compasión. Entonces, nuestra vida podrá ser más significativa y pacífica, más feliz.

*Segunda parte*

# Compasión
# y calidez humanas

# 5

# Un nuevo modelo de relación íntima

## Soledad y conexión

Entré en la *suite* del hotel donde se alojaba el Dalai Lama y él me invitó a sentarme. Mientras se servía el té, se quitó un par de zapatos Rockports de color caramelo claro y se instaló cómodamente en un sillón.

—¿Y bien? —preguntó con su tono indiferente, pero con una inflexión que indicaba su disposición a abordar cualquier tema.

Me sonrió y se mantuvo en silencio.

Unos momentos antes, mientras estaba sentado en el vestíbulo del hotel, esperando que llegara la hora de nuestra reunión, yo había tomado sin demasiado interés un ejemplar de un periódico alternativo local que estaba abierto en la sección de anuncios personales. Pasé rápidamente la mirada sobre los anuncios densamente agrupados, donde predominaban, página tras página, los de gente que buscaba con desesperación relacionarse con otro ser humano. Sin dejar de pensar en aquellos anuncios, me senté para empezar la sesión con el Dalai Lama; de repente decidí dejar de lado la lista de preguntas preparadas que llevaba y le pregunté:

—¿Se siente solo alguna vez?

—No —se limitó a contestar.

No estaba preparado para esta respuesta. Imaginé que diría más o menos: «Desde luego... De vez en cuando, todo el mundo se siente algo solo». Y luego yo le preguntaría cómo afrontaba la soledad. Yo no esperaba que alguien me contestara que nunca se sentía solo.

—¿No? —le pregunté de nuevo, incrédulo.

—No.

—¿A qué lo atribuye?

Se quedó un momento pensativo antes de contestar.

—Creo que una de las razones es que suelo mirar a todo ser humano desde un ángulo positivo, intento buscar sus aspectos positivos. Esa actitud crea inmediatamente una sensación de afinidad, una especie de conexión.

»Quizá se deba a que existe por mi parte menos recelo, menos temor a que si actúo de determinada manera quizá la persona me pierda el respeto o piense que soy un extraño. Como ese temor no existe provoco una especie de apertura. Creo que ése es el factor principal.

Mientras me esforzaba por captar el alcance de lo que decía, pregunté:

—Pero ¿cómo se llega a esa actitud, a no temer ser juzgado por los demás, a despertar su antipatía? ¿Existen métodos específicos al alcance de una persona corriente para desarrollar esa cualidad?

—Primero hay que darse cuenta de la utilidad de la compasión —me contestó con un tono de profunda convicción—. Ese es el factor clave. Una vez que se ha aceptado que la compasión no es algo infantil o sentimental, una vez que has comprendido su valor más profundo, desarrollas inmediatamente el deseo de cultivarla.

»Y en cuanto estimulas la actitud compasiva en tu mente, en cuanto se hace activa, tu actitud hacia los demás cambia automáticamente. Si te acercas a los demás con disposición compasiva, reducirás tus temores, lo que te permitirá una mayor apertura. Creas un ambiente positivo y amistoso. Con esa actitud abres la posibilidad de recibir afecto o de obtener una respuesta positiva de la otra persona. Y, aunque el otro no se muestre afable o no responda de una forma positiva, al menos te habrás aproximado a él con una actitud abierta, que te proporciona flexibilidad y libertad para cambiar tu enfoque cuando sea necesario. Esa clase de apertura facilita al menos la posibilidad de tener una conversación significativa con el otro. Pero sin esa actitud de compasión, si estás cerrado, irritado o indiferente, te sentirás incómodo aunque seas abordado por tu mejor amigo.

»Creo que en muchos casos la gente espera que sean los otros quienes actúen primero de forma positiva, en lugar de tomar la iniciativa de crear esa posibilidad. Tengo la impresión de que eso es un error, que provoca problemas y que puede actuar como una barrera que únicamente sirve para promover el aislamiento. Así pues, si deseas superar ese sentimiento, creo que la actitud que se adopte establece una diferencia tremenda. Y la mejor forma es acercarse a los demás con el pensamiento de la compasión en la propia mente.

Mi sorpresa ante la afirmación del Dalai Lama de que nunca se sentía solo era proporcional a mi convicción de la omnipresencia de la soledad en nuestra sociedad, que no nacía simplemente de mi propia sensación de soledad, o del omnipresente paso por ella que revelaba mi práctica psiquiátrica. Durante los últimos veinte años, los psicólogos han empezado a estudiar la soledad de una forma científica y han realizado numerosas investigaciones. Uno de los descubrimientos más notables es que casi todas las personas manifiestan haber padecido en algún momento soledad. En una amplia encuesta realizada en Estados Unidos, una cuarta parte de los adultos dijeron que se habían sentido muy solos al menos una vez durante las dos semanas anteriores. Aunque a menudo pensamos en la soledad crónica como un padecimiento particularmente difundido solamente entre los ancianos, aislados en viviendas vacías o en los patios traseros de las residencias, la investigación revela que los adolescentes y los adultos jóvenes se sienten solos con la misma frecuencia que los ancianos.

Debido al aumento de la soledad, los investigadores han empezado a examinar las complejas variables que pueden contribuir a fomentarla. Así han descubierto, por ejemplo, que los individuos solitarios tienen problemas para abrirse hacia los demás, dificultades para comunicarse y para escuchar y les faltan ciertas habilidades sociales como saber mantener una conversación (cuándo asentir con un gesto, cómo responder apropiadamente o cuándo callarse). Esta investigación sugiere que una estrategia para superar la soledad sería la de trabajar en la mejora de estas habilidades sociales. La estrategia del Dalai Lama, sin embargo, parecía soslayar la cuestión de las habilidades sociales o de los comportamientos externos, para dirigirse directamente al corazón, al valor de la compasión y el cultivo de la misma.

A pesar de mi sorpresa inicial, mientras le oía hablar tuve el firme convencimiento de que, efectivamente, nunca se sentía solo. Había pruebas que apoyaban su afirmación. Yo mismo había sido testigo con frecuencia de su primera interacción con alguien totalmente extraño para él, y el resultado era invariablemente positivo. Empezó a quedar claro que estas interacciones positivas no eran accidentales o simplemente el resultado una personalidad afable. Percibí que había dedicado mucho tiempo a pensar en la importancia de la compasión, a cultivarla cuidadosamente y a utilizarla para preparar el terreno de su experiencia cotidiana, haciéndolo fértil para las interacciones positivas con las demás personas, un método que puede utilizar cualquiera que sufra de soledad.

## Dependencia de los demás frente a independencia

—La semilla de la perfección está presente en el interior de todos los seres. No obstante, se necesita compasión para activarla.

El Dalai Lama introdujo con estas palabras el tema de la compasión ante un público silencioso, compuesto por unas mil quinientas personas, buena parte de las cuales estaban consagradas al estudio del budismo. A continuación empezó a hablar de la doctrina budista del campo de mérito.

En el sentido budista, el mérito son las huellas positivas en la mente, o «*continuum* mental», como resultado de acciones positivas. El Dalai Lama explicó que un campo de mérito es una fuente de la que se puede extraer mérito. Según la teoría budista, son los méritos acumulados los que determinan las condiciones de los renacimientos futuros. La doctrina budista especifica dos campos de mérito: el de los budas y el de otros seres sensibles. Una forma de acumular mérito consiste en generar respeto, fe y confianza en los budas, en los seres iluminados. La otra supone practicar la amabilidad, la generosidad, la tolerancia, y evitar acciones negativas, como matar, robar y mentir. Esta forma exige interacción con los demás, en lugar de interacción con los budas. Por eso, señaló el Dalai Lama, los otros pueden sernos de gran ayuda para acumular mérito.

La descripción que hace el Dalai Lama de otras personas como un campo de mérito posee una hermosa calidad lírica, producto de una gran imaginación. Su lúcido razonamiento y su poder de convicción se combinaron para que la charla de aquella tarde sobrecogiera a los concurrentes. Al mirar alrededor pude darme cuenta de que muchos estaban visiblemente conmovidos. Yo mismo me sentía cautivado. Como resultado de nuestras conversaciones anteriores sobre la importancia de la compasión, me sentía todavía fuertemente influido por años de formación y práctica científicas, que me hacían considerar toda conversación sobre el tema como demasiado sentimental. Mientras él hablaba, mi mente empezó a distraerse. Miré furtivamente alrededor, en busca de rostros famosos, interesantes o familiares. Puesto que había comido demasiado antes de la charla, empecé a sentir sueño. Mi conciencia captaba a medias lo que el Dalai Lama decía y, en un momento determinado, mi mente sintonizó de nuevo con la realidad y le oí decir:

—... el otro día hablé sobre los factores necesarios para disfrutar de una vida feliz y gozosa, como la buena salud, los bienes materiales, los amigos, etcétera. Y todos ellos dependen de nuestros semejantes. Para mantener una buena salud se necesitan los medicamentos fabricados por otros y servicios de atención sanitaria ofrecidos por otros. Si examinan todas las cosas que les proporcionan bienestar, descubrirán que no existe ningún objeto que no tenga conexión con otras personas. Si lo piensan cuidadosamente, verán que en la fabricación de esos objetos intervienen muchas personas, ya sea directa o indirectamente. No hace falta decir que cuando hablamos de buenos amigos y compañeros como otro factor necesario para llevar una vida feliz, hablamos de interacción con otros seres sensibles, con otros seres humanos.

»Como pueden ver, todos esos factores se hallan inextricablemente unidos con los esfuerzos y la cooperación de otras personas. Los otros seres son indispensables. Así que, a pesar de que el proceso de relacionarse con los demás suponga a veces momentos difíciles, disputas, debemos intentar mantener una actitud de amistad y cordialidad, de modo que la interacción con ellos nos proporcione una vida feliz.

Mientras él hablaba, experimenté una resistencia instintiva. A pesar de que siempre he valorado y disfrutado de mis amigos y mi familia, siempre me he considerado una persona independiente. De hecho, me enorgullezco de esta cualidad. Secretamente, tiendo a considerar con cierto desprecio a las personas dependientes, lo que no deja de ser una señal de debilidad.

Aquella tarde sin embargo, mientras escuchaba al Dalai Lama, ocurrió algo. Puesto que «nuestra dependencia de los demás» no era precisamente mi tema favorito, mi mente empezó a distraerse de nuevo y me quité con actitud ausente un hilo suelto de la manga de la camisa. Sintonicé por un momento con la charla, le escuché hablar sobre las numerosas personas que participan en la creación de todas nuestras posesiones materiales. Al escuchar sus palabras, empecé a pensar en las muchas personas implicadas en la confección de mi camisa. Me imaginé al campesino que cultivó el algodón. A continuación a la persona que le vendió el tractor para arar el campo. Luego, a los cientos o incluso miles de personas que participaron en la fabricación de ese tractor, incluidas aquellas que extrajeron el mineral para elaborar el metal que se había utilizado. Y los diseñadores del tractor. Luego, naturalmente, las personas que procesaron el algodón, las que tejieron la tela, las que cortaron, tiñeron y cosieron esa tela. Los mozos y conductores de camión que transportaron la camisa hasta la tienda y la dependienta que me vendió la camisa. Se me ocurrió pensar que prácticamente todos los aspectos de mi vida eran el resultado de los esfuerzos de los demás. Mi preciosa independencia no era más que una ilusión, una fantasía. Al darme cuenta de ello, me sentí abrumado por un profundo sentido de interconexión e interdependencia con todos los seres humanos. Experimenté algo parecido a un resquebrajamiento. No sé muy bien qué fue. Pero en aquel momento hubiera deseado echarme a llorar.

## Relaciones íntimas

Nuestra necesidad de los demás es paradójica. Al mismo tiempo que en nuestra cultura exaltamos la más feroz independencia, también anhelamos la intimidad y la conexión con una persona especial y querida. Centramos toda nuestra energía en encontrar a esa persona que pueda curar nuestra soledad y que, sin embargo, intensifique nuestra ilusión de seguir siendo independientes. Aunque resulta difícil alcanzar esa conexión con una persona, descubrí que el Dalai Lama mantiene relaciones con tantas personas como le es posible y que eso es lo que nos recomienda a todos. De hecho, su objetivo es conectarse con todos.

Una tarde, al reunirme con él en la *suite* de su hotel en Arizona, empecé diciéndole:

—En su charla de ayer por la tarde habló de la importancia de los demás, describiéndolos como un campo de mérito. Pero hay realmente tantas formas diferentes de relacionarnos con los demás...

—Eso es muy cierto —dijo el Dalai Lama.

—Existe, por ejemplo, una clase de relación que es muy valorada en Occidente —observé—. Me refiero a la que se caracteriza por una profunda intimidad entre dos personas, compartiendo los sentimientos más profundos. La gente cree que si no se mantiene una relación semejante es como si algo faltara en sus vidas... De hecho, la psicoterapia occidental trata de ayudar a menudo a las personas a que desarrollen ese tipo de relación íntima...

—Sí, creo que esa intimidad puede verse como algo positivo —asintió el Dalai Lama—. Si alguien se ve privado de esa clase de intimidad, puede sufrir trastornos.

—Me preguntaba entonces... —seguí diciendo—. Mientras estaba en el Tíbet usted no sólo fue considerado un rey, sino también una divinidad. Supongo que la gente le respetaba e incluso se sentía un poco nerviosa o asustada en su presencia. ¿No creaba eso una distancia emocional con los demás, una sensación de aislamiento? El hecho de estar separado de su familia, de haber sido educado como monje desde una tierna edad y de no haberse casado nunca..., ¿no contribuyeron todas estas cosas a crear una sensación de aislamiento? ¿Ha tenido alguna vez la sensación de haberse perdido la experiencia de una profunda intimidad personal con los demás, o con una persona especial, como una esposa?

—No —me contestó sin vacilación—. Nunca he experimentado falta de intimidad. Mi padre falleció hace muchos años, pero me sentí muy cerca de mi madre, de mis maestros, tutores y otras personas. Y con muchos de ellos pude compartir mis sentimientos, temores y preocupaciones más profundas. Cuando estaba en el Tíbet, en las ceremonias de Estado y en los actos públicos se observaba una cierta formalidad, un cierto protocolo, pero eso no siempre era así. En otras ocasiones, por ejemplo, solía pasar bastante tiempo en la cocina y estuve cerca de algunas personas que trabajaban allí, y bromeábamos, cuchicheábamos y compartíamos cosas de un modo bastante relajado, sin formalidad o distancia.

»Así que ni en el Tíbet ni fuera de él, cuando me he convertido en un refugiado, me han faltado personas con las que compartir cosas. Creo que buena parte de esto tiene que ver con mi naturaleza. Me resulta fácil compartir. ¡Simplemente, no sé guardar secretos! —Se echó a reír—. Claro que eso puede ser a veces un rasgo negativo, como por ejemplo si después de una discusión en el Kashag* acerca de asuntos confidenciales, yo hablara abiertamente sobre ellos. Pero ser abierto y compartir cosas puede ser muy útil. Debido precisamente a esta característica de mi naturaleza, puedo hacer amigos con facilidad; no se trata únicamente de conocer a alguien y mantener una conversación superficial, sino de compartir realmente mis más profundos problemas y sufrimientos. Sucede lo mismo cuando recibo buenas noticias; las comento inmediatamente con los demás. De ese modo, experimento un sentimiento de intimidad y conexión con mis amigos. Claro que en general me resulta fácil establecer una conexión porque mis interlocutores se sienten muy felices de compartir el sufrimiento o el gozo con el Dalai Lama, con "Su Santidad el Dalai Lama". —Se echó a reír de nuevo—. En cualquier caso, disfruto de esa intimidad. En el pasado, por ejemplo, si me sentía decepcionado por la política del gobierno tibetano, o si estaba preocupado por otros problemas, incluso por la amenaza de una invasión china, me retiraba a mis habitaciones y compartía mis sentimientos con la persona que barría el suelo. Desde cierto punto de vista, a algunos les puede parecer bastante estúpido que el Dalai Lama, jefe del estado tibetano, enfrentado con problemas de rango nacional e internacional, quiera compartir sus preocupaciones con un barrendero. —Se echó a reír de nuevo—. Pero personalmente me parece que es muy útil, porque la otra persona participa y entonces podemos afrontar juntos el problema.

* Gabinete del gobierno tibetano en el exilio.

## Expandir nuestra definición de intimidad

Prácticamente todos los investigadores de las relaciones humanas están de acuerdo en que la relación íntima es fundamental para nuestra existencia. El influyente psicoanalista británico John Bowlby escribió que «las vinculaciones íntimas con otros seres humanos son el centro alrededor del cual gira la vida de una persona... Estas vinculaciones fortalecen a las personas y favorecen el disfrute de la vida. Sobre esto la ciencia actual y la sabiduría tradicional están de acuerdo».

Está claro que la intimidad promueve tanto el bienestar físico como el psicológico. Al observar los beneficios de las relaciones íntimas, los investigadores médicos han descubierto que las personas que tienen amigos íntimos, a los que pueden dirigirse para buscar seguridad, empatía y afecto, son las que más probabilidades tienen de sobrevivir a desafíos, como ataques al corazón y operaciones quirúrgicas, y las menos propensas a padecer enfermedades como cáncer e infecciones respiratorias. Un estudio de más de mil pacientes cardíacos del Centro Médico de la Universidad de Duke descubrió que entre aquellos que no tenían cónyuge o confidente íntimo, se verificaba un índice de mortalidad, en los cinco años posteriores al diagnóstico de enfermedad cardíaca, tres veces mayor que el registrado entre aquellos que estaban casados o tenían un amigo íntimo. Otro estudio efectuado sobre miles de residentes del condado de Alameda, en California, a lo largo de un período de nueve años, demostró que quienes contaban con mayor apoyo social y relaciones íntimas tenían índices más bajos de mortalidad y de cáncer. Y un estudio de la Escuela de Medicina de la Universidad de Nebraska sobre ancianos estableció que a quienes mantenían una relación íntima les funcionaba mejor el sistema inmunológico y tenían niveles de colesterol más bajos. Durante el transcurso de los últimos años se han realizado por lo menos media docena de grandes investigaciones, dirigidas por grupos científicos diferentes, que examinaron la relación entre intimidad y salud. Después de entrevistar a miles de personas, todos los investigadores parecen haber llegado a la misma conclusión: las relaciones íntimas benefician la salud.

La intimidad es igualmente importante para mantener una buena salud emocional. El psicoanalista y filósofo social Erich Fromm afirmó que el temor básico de la humanidad es verse separado de otros seres humanos. Estaba convencido de que la experiencia de la separación, si se producía por primera vez en la infancia, constituía la fuente de toda ansiedad. John Bowlby se mostró de acuerdo y citó una buena cantidad de pruebas experimentales en apoyo de la idea de que la separación de las personas que nos cuidan, habitualmente la madre o el padre, durante la última parte del primer año de vida, crea inevitablemente temor y tristeza en los bebés. En su opinión, la pérdida de relación interpersonal se encuentra en las raíces mismas de las experiencias humanas de temor, tristeza y pena.

Así pues, dada la importancia vital de la intimidad, ¿cómo nos las arreglamos para alcanzarla en nuestra vida? Siguiendo el enfoque del Dalai Lama, expuesto en la sección anterior, parecería razonable empezar por el estudio de la intimidad, buscando una definición funcional y un modelo. Pero al buscar la respuesta en la ciencia, nos encontramos con que todos los investigadores están de acuerdo en la importancia de la intimidad, y que ahí termina la coincidencia. Quizá el resultado más notable de una revisión incluso rápida de los diversos estudios sobre el tema sea comprobar que existe una amplia diversidad de opiniones y teorías sobre qué es exactamente la intimidad.

En un extremo del espectro está Desmond Morris, que escribe desde la perspectiva de un zoólogo con formación en etología. En su libro *Comportamiento íntimo*, Morris define así la relación íntima: «Intimar significa acercarse... La intimidad se produce cuando dos personas entran en contacto físico». Tras definir la intimidad en términos de puro contacto físico, pasa a explorar las innumerables formas de contacto físico entre los seres humanos, desde una simple palmada en la espalda hasta el abrazo sexual. Considera el tacto, desde un estrecho abrazo hasta modos indirectos de contacto físico, como la manicura, una forma de confortar a otros. Llega a decir incluso que los contactos físicos que mantenemos con los objetos de nuestro entorno, desde los cigarrillos hasta las joyas o las camas de agua, actúan como sustitutos de la intimidad.

La mayoría de los investigadores, sin embargo, no son tan concretos en sus definiciones de la intimidad y están de acuerdo en que es algo más que simple cercanía física. Al considerar la raíz de la palabra intimidad, que procede del latín *intima*, que significa «interior» o «muy interior», admiten a menudo una definición más amplia, como la del doctor Dan McAdams, autor de varios libros sobre el tema: «El deseo de intimidad es el deseo de compartir con otro lo más profundo de sí».

Pero las definiciones no se detienen aquí. En el extremo opuesto al de Desmond Morris está el equipo de psiquiatras formado por Thomas Patrick Malone y su hijo Patrick Thomas Malone. En su libro *El arte de la intimidad*, la definen como «la experiencia de la conectividad». Su estudio se inicia con un meticuloso examen de nuestra «conectividad» con los demás, a pesar de lo cual no se limitan a las relaciones humanas. Su definición es tan amplia que incluye nuestra relación con los objetos inanimados, como árboles, estrellas e incluso el espacio.

Los conceptos de intimidad ideal también varían a lo largo y ancho del mundo y de la historia. La noción romántica de esa «única persona especial» con la que mantenemos una apasionada relación íntima es un producto de nuestro tiempo y cultura. Pero este modelo de intimidad no es universal. Los japoneses, por ejemplo, parecen encontrar la intimidad en la amistad, mientras que los estadounidenses la buscan en apasionadas relaciones románticas. Al observar esto, algunos investigadores han sugerido que los asiáticos, que tienden a centrarse menos en sentimientos personales y se preocupan más por los aspectos prácticos de las relaciones sociales, parecen menos vulnerables a la desilusión que implica el desmoronamiento de las relaciones.

Los conceptos de intimidad también han cambiado espectacularmente con el transcurso del tiempo. En la América colonial, por ejemplo, el grado de intimidad y proximidad física era generalmente mayor que el actual, ya que la familia y hasta los extraños compartían espacios exiguos, dormían juntos en una misma habitación y utilizaban una misma estancia para bañarse, comer y dormir. Y, sin embargo, la comunicación habitual entre los cónyuges era bastante formal para las normas hoy vigentes, no muy diferente al modo en que las personas conocidas y los vecinos se hablan unos a otros. Apenas un siglo más tarde, el amor y el matrimonio habían experimentado un intenso proceso de romantización y la exposición de la interioridad era el ingrediente de cualquier relación amorosa.

Las ideas sobre el comportamiento privado e íntimo también han cambiado con el transcurso del tiempo. En la Alemania del siglo XVI, por ejemplo, se esperaba que la pareja de recién casados consumara su matrimonio en una cama rodeada de testigos.

También ha cambiado la forma de expresar las emociones. En la Edad Media se consideraba normal expresar públicamente, con gran intensidad y de forma muy directa, una amplia gama de sentimientos, como alegría, cólera, temor, piedad y hasta el placer de torturar y matar a los enemigos. Los extremos de risa histérica, llanto apasionado y cólera violenta se expresaban con una intensidad que no se aceptaría en nuestra sociedad. Pero con la frecuente expresión pública de los sentimientos, en esa sociedad no tenía relevancia el concepto de intimidad emocional; si uno manifiesta abierta e indiscriminadamente toda clase de emociones, queda poco para expresar en los contactos privados.

Está claro, por lo tanto, que las ideas sobre la intimidad no son universales. Cambian con el transcurso del tiempo, vinculadas a condicionamientos económicos, sociales y culturales, y además, en un mismo estadio histórico, por los comportamientos y las definiciones. Entonces ¿qué significa esto en nuestra búsqueda del concepto de intimidad? Creo que la respuesta es evidente.

Hay una increíble diversidad de vidas humanas, infinitos modos de experimentar la intimidad. Esta toma de conciencia, por sí sola, nos ofrece una gran oportunidad. Significa que disponemos de vastos recursos de intimidad. La intimidad nos rodea por todas partes.

Muchos de nosotros nos sentimos oprimidos por la sensación de que algo falta en nuestras vidas, y sufrimos a causa de la ausencia de una relación íntima. Esto es particularmente cierto cuando pasamos por los inevitables períodos en los que no tenemos una relación sentimental, o cuando la pasión se ha desvanecido. En nuestra cultura se ha difundido la creencia de que la intimidad se alcanza mejor con una relación romántica y apasionada, al lado de esa persona que singularizamos entre todas las demás. Éste puede ser un punto de vista muy limitador, que nos aleja de otras fuentes potenciales de intimidad y causa mucha desdicha e infelicidad cuando ese alguien especial no está presente.

Pero tenemos a nuestro alcance los medios para evitarlo; sólo tenemos que expandir valerosamente nuestro concepto de intimidad para incluir a todas las personas que nos rodean. Al ampliar nuestra definición de intimidad, descubrimos muchas formas nuevas e igualmente satisfactorias de conectarnos con los demás. Eso nos conduce de nuevo a mi discusión sobre la soledad con el Dalai Lama, que se inició gracias a la sección de anuncios personales de un periódico. La situación me extrañó. Cuando aquellas personas redactaban sus anuncios, esforzándose por encontrar las palabras adecuadas para introducir pasión en sus vidas y desterrar la soledad, ¿cuántas de ellas estaban ya rodeadas de amigos, familiares o conocidos, con vínculos que podían cultivarse fácilmente hasta convertirlos en relaciones íntimas, genuinas y profundamente satisfactorias? Yo diría que muchas. Si lo que buscamos en la vida es la felicidad, y la relación es un ingrediente importante de una vida más feliz, está claro que tiene sentido orientarnos con arreglo a un modelo que incluya tantas formas de conexión con los demás como sea posible. El modelo del Dalai Lama se basa en la voluntad de abrirnos a todos nuestros semejantes, a la familia, los amigos y hasta los extraños, creando así vínculos genuinos y profundos basados en nuestra común humanidad.

# 6

## Ahondar en nuestra conexión con los demás

UNA TARDE, después de su conferencia, llegué a la *suite* del hotel del Dalai Lama para nuestra cita diaria con unos minutos de antelación. Un ayudante me hizo salir discretamente al pasillo y me dijo que Su Santidad tenía una audiencia privada. Permanecí en ese lugar con el que ya estaba familiarizado, frente a la puerta de la *suite*, y utilicé el tiempo de que disponía para revisar mis notas para nuestra sesión, al tiempo que trataba de evitar la mirada recelosa de un guardia de seguridad, la misma mirada con la que los empleados de las tiendas observan a los estudiantes de escuela superior que merodean alrededor de las estanterías de las revistas.

Pocos momentos más tarde se abrió la puerta y salió una pareja muy bien vestida, de mediana edad. Me pareció reconocerlos. Recordé entonces que había sido brevemente presentado a ellos unos días antes. Me habían dicho que la mujer era una conocida heredera y el marido un abogado de Manhattan, extremadamente rico y poderoso. Sólo habíamos intercambiado unas pocas palabras, pero ambos me impresionaron por su increíble arrogancia. Ahora, al verlos salir de la *suite* del Dalai Lama, observé un cambio asombroso en los dos. Habían desaparecido por completo las expresiones de suficiencia y la actitud arrogante, sustituidas por expresiones de ternura y emoción. Parecían dos niños. Las lágrimas corrían por las mejillas de ambos. Aunque el efecto que ejerce el Dalai Lama no siempre es tan espectacular, he observado que la gente responde invariablemente con algún cambio emocional. Me había maravillado desde hacía tiempo su capacidad para forjar vínculos y establecer un intercambio emocional profundo y significativo.

## Establecer empatía

Aunque durante nuestras conversaciones en Arizona habíamos hablado de la importancia de la cordialidad y la compasión humanas, no fue hasta unos meses más tarde, en su hogar de Dharamsala, cuando tuve la oportunidad de explorar más detalladamente con él el tema de las relaciones humanas. Para entonces, ansiaba descubrir los principios de sus interacciones con los demás susceptibles de ser aplicados a mejorar cualquier relación, ya fuese con extraños o con familiares, amigos y amantes. Ávido por empezar, abordé el tema de inmediato.

—Y ahora, sobre las relaciones humanas..., ¿cuál diría que es el método o la técnica más efectiva para conectar con los demás de una forma significativa y reducir los conflictos?

Me miró fijamente por un momento. No fue una mirada de enojo, pero hizo que me sintiera como si acabara de pedirle que me diera la composición química del polvo lunar.

Tras una breve pausa, respondió:

—Bueno, el trato con los demás es un tema muy complejo. No hay manera de encontrar una fórmula con la que se puedan solucionar todos los problemas. Es un poco como cocinar. Si se prepara una comida deliciosa, el proceso pasa por diversas fases. Quizá haya que hervir las verduras por separado, para luego sofreírlas y combinarlas de forma especial, mezclándolas con especias, y así sucesivamente; el resultado final es un producto delicioso. Lo mismo sucede en las relaciones; existen muchos factores. No se puede decir: «Éste es el método», o «Ésta es la técnica».

No era exactamente la clase de respuesta que yo buscaba. Pensé que se mostraba evasivo y tuve la impresión de que, seguramente, tendría algo más concreto que ofrecerme, así que seguí presionándolo.

—Bueno, si no hay un método único para mejorar nuestras relaciones, ¿hay quizá algunas normas generales que puedan ser útiles?

El Dalai Lama pensó un momento antes de contestar.

—Sí. Antes hablamos de la importancia de acercarse a los demás con actitud compasiva. Eso es crucial. Claro que no es suficiente con decirle a alguien: «Es muy importante ser compasivo; hay que tener más amor». Una receta tan sencilla no sería provechosa. Pero un medio efectivo para inducir a ser más cálido y compasivo consiste en razonar acerca del valor y los beneficios prácticos de la compasión, así como hacer reflexionar a las personas sobre sus sentimientos cuando los otros son amables con ellas. Eso en cierto modo los prepara, de tal manera que se producirá más de un efecto a medida que sigan realizando esfuerzos por ser más compasivos.

»Al considerar los diversos medios para desarrollar más compasión, creo que la empatía es un factor importante. La capacidad para apreciar el sufrimiento del otro. Tradicionalmente, una de las técnicas budistas para acrecentar la compasión consiste en imaginar una situación en la que sufre un ser sensible, por ejemplo una oveja a punto de ser sacrificada, y luego tratar de imaginar el sufrimiento de esa oveja.

El Dalai Lama se detuvo un momento para reflexionar, mientras pasaba entre los dedos con expresión ausente las cuentas de una especie de rosario.

—Pienso —siguió diciendo— que si tratáramos con alguien que se mostrara muy frío e indiferente, esta técnica de visualización no sería muy efectiva. Sería como si se lo pidiera al carnicero dispuesto a sacrificar una oveja; está tan endurecido, tan acostumbrado que eso no haría mella en él. Así que sería muy difícil explicar esa técnica y utilizarla con algunos occidentales acostumbrados a cazar y pescar por simple diversión, como una forma de distracción...

—En ese caso —le sugerí—, quizá no sea una técnica efectiva pedirle a un cazador que se imagine el sufrimiento de su presa, pero se pueden despertar sus sentimientos pidiéndole que se imagine a su perro de caza favorito atrapado en una trampa y gañendo de dolor.

—Sí, exactamente —asintió el Dalai Lama—. Creo que se podría ajustar esa técnica a las circunstancias. Por ejemplo, es posible que la persona en cuestión no experimente fuerte empatía con los animales, pero puede sentirla con un miembro de su familia o un amigo. En tal caso, podría visualizar una situación en que la persona querida sufriera o pasara por una situación trágica para luego imaginar cómo respondería. Así que se puede intentar acrecentar la compasión tratando de establecer empatía con el sentimiento o la experiencia de otro.

»Creo que la empatía es importante, no sólo como medio para aumentar la compasión, sino que en términos generales, al tratar con los demás cuando están en dificultades, resulta extremadamente útil para situarse en el lugar del otro y ver cómo reaccionaría uno ante la situación. Aunque no se tengan experiencias comunes con la otra persona o su estilo de vida sea muy diferente, siempre puede intentarse con la imaginación. Quizá haya que ser algo creativo. Esta técnica supone la capacidad para suspender temporalmente el propio punto de vista y buscar la perspectiva de la otra persona, imaginar cuál sería la situación si uno estuviera en su lugar, y cómo la afrontaría. Eso ayuda a desarrollar una conciencia de los sentimientos del otro y a respetar dichos sentimientos, algo importante para reducir los conflictos y problemas con los demás.

Esa tarde nuestra entrevista fue breve. Se me había incluido con dificultad y en el último momento en la poblada agenda del Dalai Lama y mantuvimos la conversación a últimas horas del día, como había sucedido en varias ocasiones. Fuera, el sol empezaba a ponerse, llenando la estancia de una luz crepuscular agridulce, convirtiendo el amarillo pálido de las paredes en un ámbar más profundo y sembrando de ricos matices dorados las imágenes budistas. El ayudante del Dalai Lama entró silenciosamente en la estancia, indicando el final de nuestra sesión. Enfrascado en la conversación, pregunté:

—Sé que tenemos que terminar, pero ¿tiene otros consejos para ayudar a crear empatía con los demás?

Haciéndose eco de las palabras que había pronunciado muchos meses antes en Arizona, contestó con una afable simplicidad:

—Siempre me acerco a los demás en el terreno básico que nos es común. Todos tenemos una estructura física, una mente, emociones. Todos hemos nacido del mismo modo y todos moriremos. Todos deseamos alcanzar la felicidad y no sufrir. Al mirar a los demás desde esa perspectiva, en lugar de percibir diferencias secundarias, como el hecho de que yo sea tibetano y tenga una religión y unos antecedentes culturales diferentes, experimento la sensación de hallarme ante alguien que es exactamente igual que yo. Creo que relacionarse con una persona en ese nivel facilita el intercambio y la comunicación.

Y tras decir esto se levantó, sonrió, me estrechó la mano y se retiró.

A la mañana siguiente continuamos nuestra discusión en el hogar del Dalai Lama.

—En Arizona hablamos mucho sobre la importancia de la compasión en las relaciones humanas y ayer abordamos el papel de la empatía para mejorar nuestra capacidad para relacionarnos...

—Sí —dijo el Dalai Lama.

—Además de eso, ¿puede sugerir algún método o técnica adicional?

—Bueno, como ya le comenté ayer, no hay una o dos técnicas sencillas capaces de resolver todos los problemas. Sin embargo, creo que hay algunas cosas que pueden ayudar. En primer lugar, es útil conocer y valorar los antecedentes de la persona con la que estamos tratando. Mantener una actitud mental abierta y honrada también nos ayuda.

Esperé, pero él no añadió nada más.

87

—¿Puede sugerir algún otro método para mejorar nuestras relaciones?

El Dalai Lama pensó un momento.

—No —contestó, echándose a reír.

Consideré que esos consejos eran demasiado simplistas. Sin embargo, y puesto que eso parecía ser todo lo que él tenía que decir por el momento, abordamos otros temas.

Aquella tarde fui invitado a cenar en casa de unos amigos tibetanos en Dharamsala. Organizaron una velada muy animada. La comida fue excelente, con un deslumbrante despliegue de platos especiales cuya estrella fue el *Mo Mos* tibetano, a base de sabrosas albóndigas de carne. A medida que transcurría la cena, se animó la conversación. Los invitados no tardaron en contar historias subidas de tono, sobre las situaciones embarazosas en que se habían visto durante una borrachera. Entre los invitados se encontraba una conocida pareja alemana, ella arquitecta y él autor de una docena de libros.

Como estaba interesado en sus libros me acerqué al escritor y entablé conversación con él. Sus respuestas eran breves y superficiales; su actitud, abrupta y distante. Convencido de que era un hosco esnob, me resultó inmediatamente antipático. Me consolé pensando que al menos había intentando conectar con él y entablé conversación con otros invitados más amistosos.

Al día siguiente estaba con un amigo en un café del pueblo y, mientras tomábamos el té, le conté lo ocurrido la noche anterior.

—Realmente, disfruté con todos, excepto con Rolf, ese escritor... Parecía tan arrogante y..., bueno, poco amistoso.

—Lo conozco desde hace varios años —dijo mi amigo—, y sé que ésa es la impresión que causa, pero sólo porque al principio es un poco tímido y reservado. En realidad, es una persona maravillosa si se le llega a conocer un poco... —Yo no me dejaba convencer, y mi amigo siguió diciendo—: A pesar de ser un escritor de éxito, ha tenido en su vida más dificultades de las que se merecía. Su familia sufrió tremendamente a manos de los nazis durante la Segunda Guerra Mundial. Rolf tiene dos hijos, a los que está muy entregado, que han nacido con un extraño trastorno genético que los discapacita física y mentalmente. En lugar de amargarse por ello o pasarse el resto de la vida representando el papel de mártir, afrontó sus problemas con abnegación y dedicó muchos años a trabajar como voluntario en favor de los discapacitados. Realmente, es una persona muy especial.

Volví a encontrarme con Rolf y su esposa al final de esa semana, en el pequeño aeródromo. Teníamos previsto tomar el mismo vuelo a Delhi, pero fue cancelado. El siguiente saldría al cabo de unos días, así que decidimos compartir un taxi hasta la capital, un horrible trayecto de diez horas. La información de mi amigo había cambiado mis sentimientos hacia Rolf y durante el largo trayecto me sentí más receptivo. Como consecuencia de ello, hice un esfuerzo por mantener una conversación. Inicialmente, su actitud fue la misma. Pero pronto descubrí que, tal como me había comentado mi amigo, su distanciamiento se debía más a la timidez que al esnobismo. Mientras traqueteábamos por la sofocante y polvorienta campiña del norte de la India y nos enfrascábamos cada vez más profundamente en la conversación, demostró ser una persona cálida y un excelente compañero de viaje.

Al llegar a Delhi ya estaba convencido de que el consejo del Dalai Lama de «conocer los antecedentes» de las personas no era tan superficial como me había parecido en un principio. Sí, quizá fuera simple, pero no simplista. En ocasiones, el medio más efectivo para intensificar la comunicación es precisamente el que tendemos a considerar como ingenuo.


Días más tarde me encontraba todavía en Delhi, esperando el viaje que me llevaría a casa. El cambio respecto de la tranquilidad que se respiraba en Dharamsala era exasperante y me sentía de muy mal humor. Además del apabullante calor, la contaminación y las multitudes, las aceras estaban atestadas de toda clase de depredadores urbanos dedicados a la estafa callejera. Caminar por las abrasadoras calles de Delhi como un occidental, un extranjero, un objetivo, abordado sin tregua por los pedigüeños, era como si tuviera tatuada en la frente la palabra «Imbécil». Era desmoralizador.

Esa misma mañana fui víctima de una estratagema habitual a cargo de dos hombres. Uno de ellos me salpicó con pintura roja los zapatos en un momento en que yo estaba distraído. Un poco más adelante, su compinche, con aspecto de inocente limpiabotas, me señaló la pintura y se ofreció para limpiarme los zapatos al precio habitual. Efectivamente, me limpió hábilmente los zapatos en pocos minutos. Una vez que hubo terminado, me pidió una suma enorme, equivalente a dos meses de salario para muchos de los habitantes de Delhi. Cuando protesté, afirmó que ése era el precio que habíamos convenido. Protesté de nuevo, y el muchacho se puso a gritar, atrayendo la atención de la multitud, que me negaba a pagarle sus servicios. Ese mismo día, algo más tarde, supe que esta añagaza se empleaba a diario con los turistas desprevenidos.

Por la tarde almorcé con una colega en mi hotel. Lo sucedido esa mañana había quedado rápidamente olvidado y ella me preguntó por mis recientes entrevistas con el Dalai Lama. Nos enfrascamos en una conversación sobre las ideas de éste acerca de la empatía y la importancia de adoptar la perspectiva de la otra persona. Después de almorzar tomamos un taxi y fuimos a visitar a unos amigos comunes. Cuando el taxi se ponía en marcha, pensé de nuevo en el limpiabotas y, mientras esas negras imágenes cruzaban por mi mente, se me ocurrió echar un vistazo al taxímetro.

—¡Pare! —grité de pronto.

Mi amiga se sobresaltó. El taxista me miró burlonamente por el espejo retrovisor, pero siguió conduciendo.

—¡Deténgase! —le exigí, con voz ahora temblorosa, con un atisbo de histeria. Mi amiga parecía conmocionada. El taxi se detuvo. Señalé furioso el taxímetro, blandiendo el dedo en el aire—. ¡No puso el taxímetro a cero! ¡Había más de veinte rupias cuando iniciamos la carrera!

—Lo siento, señor —dijo el hombre con indiferencia, lo que me enfureció aún más—. Se me olvidó. Lo volveré a poner en marcha...

—¡Usted no va a poner en marcha nada! —exploté—. Estoy harto de que hinchen los precios, me lleven en círculo o hagan todo lo que puedan por robar a la gente... ¡Estoy... harto!

Yo balbuceaba como un mojigato escandalizado, y mi amiga parecía consternada. El taxista se limitó a mirarme con la misma expresión desafiante de las vacas sagradas que recorren las ajetreadas calles de Delhi y se detienen donde les place, con la sediciosa intención de detener el tráfico, como si yo fuera un quisquilloso incorregible. Arrojé unas pocas rupias sobre el asiento delantero y sin decir una palabra mi amiga y yo nos apeamos.

Pocos minutos más tarde paramos otro taxi y reanudamos el camino. Pero no podía dejar el tema. Mientras recorríamos las calles de Delhi, no paraba de quejarme de que allí «todo el mundo» se dedicaba a engañar a los turistas y de que no éramos para ellos más que presas. Mi colega me escuchaba en silencio mientras yo despotricaba y desvariaba.

—Bueno —dijo ella finalmente—, veinte rupias no suponen más que un cuarto de dólar. ¿Por qué enfadarse tanto?

—¡Pero los principios son los que cuentan! —exclamé con piadosa indignación—. No comprendo cómo puedes seguir tan tranquila cuando esto ocurre continuamente. ¿No te molesta?

—Bueno —me contestó pausadamente—, me molestó por un momento, pero luego pensé en lo que hablamos durante el almuerzo, lo que dijo el Dalai Lama acerca de ver las cosas desde la perspectiva del otro. Mientras tú te enojabas, intentaba ver qué tenía yo en común con el taxista. Ambos deseamos buenos alimentos, dormir bien, sentirnos a gusto, ser queridos. Entonces, intenté imaginarme como taxista: todo el día en un taxi sofocante, sin aire acondicionado, sintiéndome colérica e irritada por los extranjeros ricos..., así que no se me ocurre nada mejor para que las cosas sean algo más «justas», para ser un poco más feliz, que sacarles un poco de dinero. La cuestión es que, a pesar de que consigo obtener unas pocas rupias de algún que otro turista inocente, no lo considero como una forma muy satisfactoria de llevar una vida mejor... En cualquier caso, cuanto más me imaginaba como taxista, menos enfadada me sentía con él. Su vida me parecía sencillamente triste... No es que esté de acuerdo con su comportamiento e hicimos bien al bajarnos del taxi, pero no pude enfadarme con él tanto como para odiarle.

Guardé silencio. En realidad, me sentía asombrado ante lo poco que yo había absorbido del Dalai Lama. Para entonces ya había empezado a apreciar el valor de «comprender al otro» y sus ejemplos acerca de cómo poner en práctica los principios. Pensé de nuevo en nuestras conversaciones, iniciadas en Arizona y continuadas ahora en la India, y me di cuenta de que, ya desde el principio, habían adquirido un tono clínico, como si yo le hiciera preguntas sobre anatomía humana sólo que, en este caso, era la anatomía de la mente y el espíritu humanos. Hasta ese momento, sin embargo, no se me había ocurrido aplicar plenamente sus ideas a mi propia vida; siempre había tenido la vaga intención de tratar de ponerlas en práctica en el futuro, cuando dispusiera de más tiempo.

## Examen de la base fundamental de una relación

Mis conversaciones con el Dalai Lama en Arizona se habían iniciado con un análisis de las fuentes de la felicidad. A pesar de que él había elegido vivir como un monje, se ha demostrado que el matrimonio puede traer la felicidad, al aportar estrechos vínculos que proporcionan satisfacción. Entre estadounidenses y europeos se han llevado a cabo muchos estudios que demuestran que en general la gente casada es más feliz y se siente más satisfecha con la vida que las personas solteras o viudas, por no hablar de los divorciados o separados. Una encuesta descubrió que seis de cada diez estadounidenses que califican su matrimonio de «muy feliz» también consideran su vida, en conjunto, como «muy feliz». Al analizar el tema de las relaciones humanas, me pareció importante sacar a relucir esa fuente de felicidad.

Minutos antes de una de las entrevistas programadas con el Dalai Lama, me encontraba sentado con un amigo en el patio exterior del hotel, en Tucson, tomando un refresco. Tras mencionar el tema del idilio amoroso y el matrimonio, que deseaba plantear en mi entrevista, mi amigo y yo no tardamos en lamentarnos de ser solteros. Mientras hablábamos, una pareja joven, de aspecto saludable, de vacaciones y quizá golfistas, se sentaron a una mesa, cerca de nosotros. Ofrecían el aspecto de un matrimonio de tipo medio; no en luna de miel, pero jóvenes y sin duda enamorados. «Tiene que ser agradable», pensé.

Apenas se hubieron sentado empezaron a discutir.

—¡Te dije que llegaríamos tarde! —acusó con acidez la mujer, con una voz sorprendentemente ronca, fruto sin duda de años de tabaco y alcohol—. Ahora apenas si tendremos tiempo para estar un momento sentados. ¡Ni siquiera puedo disfrutar de la comida!

—Si no hubieras tardado tanto tiempo en prepararte... —replicó el hombre, con tono más sereno, pero cargado de hostilidad.

—Ya estaba preparada hace media hora —refutó ella—. Pero tú tenías que terminar de leer el periódico...

Y continuaron de ese modo. La discusión no acababa. Tal como dijo Eurípides: «Cásate; es posible que salga bien. Pero cuando un matrimonio fracasa, se vive un verdadero infierno en el hogar».

Aquella discusión, cuya acritud aumentó rápidamente, terminó con nuestros lamentos de solteros. Mi amigo alzó los ojos y citó una frase de *Seinfeld*:

—«¡Oh, sí! ¡Deseo casarme muy pronto!»

Apenas unos momentos antes tenía la intención de conocer la opinión del Dalai Lama sobre las alegrías y virtudes del idilio amoroso y el matrimonio. En lugar de eso, en cuanto entré en la *suite* de su hotel y casi antes de sentarme, pregunté:

—¿Por qué surgen conflictos con tanta frecuencia en los matrimonios?

—Cuando se trata de conflictos, las cosas pueden ser bastante complejas —explicó el Dalai Lama—. Hay muchos factores implicados. Así que cuando tratamos de comprender los problemas de relación, es preciso reflexionar primero sobre la naturaleza fundamental y la base de esa relación.

»Así que, antes que nada, hay que reconocer que existen diferentes clases de relación y examinar esas diferencias. Por ejemplo, dejando de lado por el momento el tema del matrimonio y centrándonos en las amistades corrientes, observamos que hay diferentes clases de amistad. Algunas se basan en la riqueza, el poder o la posición. En esos casos, la amistad continúa mientras tengas poder, riqueza o posición. En cuanto desaparecen, la amistad se desvanece. Por otro lado, hay una amistad basada no en consideraciones de riqueza, poder y posición, sino más bien en el verdadero sentimiento humano, en un sentimiento de proximidad, en el que existe la sensación de compartir, de estar conectado. Ésa es la amistad que yo llamaría genuina, porque no la mediatiza la riqueza, la posición o el poder. Lo fundamental para una amistad genuina es un sentimiento de afecto. Si falta, no se puede mantener una verdadera amistad. Lo hemos mencionado antes y es bastante evidente, pero si se tienen problemas de relación a menudo resulta muy útil retroceder un poco y reflexionar sobre la base de ella.

»Del mismo modo, si alguien tiene problemas con su cónyuge, quizá sea útil examinar la base de la relación. A menudo, por ejemplo, hay relaciones cimentadas por una atracción sexual inmediata. Cuando una pareja acaba de conocerse es posible que se sientan locamente enamorados y muy felices. —Se echó a reír—. Pero cualquier decisión tomada en ese momento sería muy inestable. Del mismo modo que uno puede enloquecer a causa de una cólera u odio muy intensos, también es posible que un individuo enloquezca impulsado por la intensidad de la pasión o el placer. Incluso situaciones en las que el individuo piensa: "Bueno, mi novio o mi novia no es en realidad una buena persona, pero a pesar de todo me sigue atrayendo". Así pues, una relación basada en esa atracción inicial es muy poco fiable, muy inestable, porque se apoya en algo pasajero. Ese sentimiento dura muy poco, desaparecerá al cabo de poco tiempo. —Hizo chascar los dedos—. En consecuencia, no debería sorprender a nadie que la relación empezara a tener problemas, y todo matrimonio basado en ella tuviera conflictos... Pero ¿usted qué piensa?

—Sí, estoy de acuerdo con usted en eso —admití—. Parece ser que en toda relación, incluso en las más ardientes, la pasión termina por enfriarse. Algunas investigaciones han demostrado que quienes consideran la pasión y el romanticismo esenciales para su relación, suelen desilusionarse y divorciarse. Ellen Berscheid, psicóloga social de la Universidad de Minnesota, lo estudió y llegó a la conclusión de que la incapacidad para percatarse de la limitada vida media del amor apasionado puede acabar con una relación. Ella y sus colegas creen que el aumento de los índices de divorcio durante los últimos veinte años se halla en parte relacionado con la creciente importancia que concede la gente a experiencias emocionales intensas en sus vidas, como es el caso del amor romántico. Porque es difícil mantener esas experiencias durante mucho tiempo...

—Eso parece muy cierto —asintió—. Al abordar esos problemas, se da uno cuenta de la tremenda importancia que tienen el examen y la comprensión de la naturaleza fundamental de las relaciones.

»Ahora bien, aunque muchas relaciones se basan en la atracción sexual inmediata, en otras la persona juzga con serenidad que desde el punto de vista físico el otro no es demasiado atractivo, pero es una persona buena y amable. Una relación como ésta es mucho más duradera, porque genera una verdadera comunicación entre los dos...

El Dalai Lama se detuvo un momento, como si meditara, antes de añadir:

—Conviene dejar claro que también se puede tener una relación buena y saludable que incluya la atracción sexual. Parece ser, por tanto, que existen dos clases de relación basadas en la atracción sexual. Una de ellas obedece al puro deseo sexual. En ese caso, la motivación o el impulso que hay tras el vínculo es realmente la satisfacción temporal, la gratificación inmediata. Los individuos se relacionan entre sí no tanto como personas, sino más bien como objetos. Ese vínculo no es muy sano, porque sin ningún componente de respeto mutuo termina por convertirse casi en prostitución, como una casa construida sobre cimientos de hielo: el edificio se desploma en cuanto se funde el hielo.

»No obstante, hay relaciones en que la atracción sexual, si bien es poderosa, no es fundamental. Existe un aprecio de valores relacionados con la cordialidad. Estas relaciones son, por lo general, más duraderas y fiables. Y para establecer una relación semejante es preciso dedicar tiempo suficiente a conocer las características del otro.

»En consecuencia, cuando mis amigos me preguntan sobre el matrimonio, suelo preguntarles desde cuándo conocen a su pareja. Si me contestan que desde hace sólo unos meses, suelo decirles: "Oh, eso es demasiado poco". Si me hablan de unos años, ya me parece mejor porque sé que entonces no sólo conocen el aspecto físico del otro, sino también su naturaleza más profunda...

—Eso me recuerda la afirmación de Mark Twain: «Ningún hombre o mujer sabe realmente qué es el amor perfecto hasta que no lleva casado un cuarto de siglo».

El Dalai Lama asintió con un gesto y continuó:

—Sí... Creo que muchos problemas aparecen sencillamente porque las personas no se conceden tiempo suficiente para conocerse unas a otras. En cualquier caso, creo que si alguien trata de construir una relación verdaderamente satisfactoria, la mejor forma de conseguirlo es conociendo la naturaleza profunda del otro, y relacionándose con él en ese nivel, en lugar de hacerlo simplemente a través de las características superficiales. Y en esas relaciones también juega un papel la verdadera compasión.

»He oído decir a muchas personas que su matrimonio tiene un sentido más profundo que la simple relación sexual, que el matrimonio implica a dos personas que tratan de enlazar sus vidas, compartir sus vicisitudes y la intimidad. Si esa afirmación es honesta, la relación es sana. Toda relación sana implica responsabilidad y compromiso. Claro que el contacto físico, la relación sexual de la pareja, puede tener un efecto calmante sobre la mente. Pero, después de todo, desde el punto de vista biológico, el propósito principal de la relación sexual es la reproducción. Y para realizarlo con éxito, hay que tener una actitud de compromiso hacia la descendencia, para que ésta pueda sobrevivir y desarrollarse. Por eso es tan importante potenciar la capacidad para la responsabilidad y el compromiso. Sin ella, la relación únicamente ofrece una satisfacción temporal. Es simple diversión.

Se echó a reír, con una risa que parecía maravillada por el comportamiento humano.

## Relaciones basadas en el romanticismo

Me resultaba extraño estar hablando de sexo y matrimonio con un hombre de más de sesenta años y célibe. No parecía reacio a hablar de estos temas, aunque sí pude observar un cierto distanciamiento en sus comentarios.

Esa misma noche, algo más tarde, al pensar en nuestra conversación, se me ocurrió que aún quedaba un componente importante de las relaciones del que no habíamos hablado, y sentía curiosidad por saber cuál era su postura. Se lo planteé al día siguiente.

—Ayer hablamos de las relaciones y de la importancia de basar una relación íntima o matrimonial en algo más que en el sexo —empecé a decir—. Pero, en la cultura occidental, lo que se considera muy deseable no es únicamente el acto sexual físico, sino el clima de romanticismo, estar profundamente enamorado del otro. En las películas, la literatura y la cultura popular encontramos una exaltación de este amor romántico. ¿Cuál es su punto de vista?

El Dalai Lama me contestó sin vacilación.

—Creo que, dejando aparte hasta qué punto la búsqueda continua del amor romántico puede afectar a nuestro desarrollo espiritual más profundo, incluso desde la perspectiva de un estilo de vida convencional habría que considerar la idealización de ese amor romántico como un caso extremo. A diferencia de las relaciones en que hay atención hacia el otro y afecto genuino, no puede verse como algo positivo —afirmó con decisión—. Se trata de algo basado en la fantasía, inalcanzable; por lo tanto, puede ser una fuente de frustración. Así pues, no debería ser considerado como algo positivo.

El tono taxativo del Dalai Lama parecía indicar que no tenía nada más que decir al respecto. A la vista del tremendo énfasis que pone nuestra sociedad en el romanticismo, tuve la impresión de que él desechaba demasiado a la ligera su atractivo. Dada la educación monástica del Dalai Lama, imaginé que no lo comprendía y que preguntarle sobre temas relacionados con el amor romántico era como pedirle que acudiera al aparcamiento para echarle un vistazo a mi coche por un problema que tenía con la transmisión. Ligeramente decepcionado, me apresuré a consultar mis notas y me dispuse a plantear otros temas.


¿Qué hace que el amor romántico sea tan atractivo? Al examinar esta cuestión se descubre que *eros*, el amor romántico, sexual, apasionado, el éxtasis definitivo, es un potente cóctel de ingredientes culturales, biológicos y psicológicos. En la cultura occidental, la idea ha florecido durante los últimos doscientos años bajo la influencia del romanticismo, un movimiento que ha contribuido mucho a configurar nuestra percepción del mundo y que surgió como un rechazo del período anterior, la Ilustración, con su énfasis en la razón humana.

El nuevo movimiento exaltaba la intuición, la emoción, el sentimiento, la pasión. Subrayaba la importancia del mundo sensorial, de la experiencia subjetiva del individuo, y tendía hacia el mundo de la imaginación, de la fantasía, de la búsqueda de un ámbito que no existe, de un pasado idealizado o de un futuro utópico. Esta idea ha ejercido una profunda influencia no sólo en el arte y la literatura, sino también en la política y en todos los aspectos de la cultura occidental moderna.

El impulso romántico persigue el enamoramiento. En nosotros funcionan poderosas fuerzas que nos llevan a buscar este sentimiento; aquí no se trata simplemente de la glorificación del amor romántico, que hemos recogido de nuestra cultura. Muchos investigadores creen que estas fuerzas se hallan en nuestros genes. El enamoramiento, invariablemente mezclado con la atracción sexual, quizá sea un componente genéticamente determinado del instinto de apareamiento. Desde una perspectiva evolutiva, la tarea principal del organismo es la de sobrevivir, reproducirse y asegurar la supervivencia de la especie. Redunda por tanto en interés de las especies el que estemos programados para enamorarnos; eso aumenta, ciertamente, las probabilidades de apareamiento y reproducción. Disponemos por lo tanto de mecanismos innatos que nos ayudan a que eso suceda; así, en respuesta a ciertos estímulos, nuestros cerebros fabrican y bombean sustancias químicas capaces de crear una sensación eufórica, el «entusiasmo» asociado con el enamoramiento que a veces nos abruma y bloquea otros sentimientos.

Las fuerzas psicológicas que nos impulsan a buscar el enamoramiento son tan compulsivas como las fuerzas biológicas. En el *Simposium* de Platón, Sócrates cuenta la historia del mito de Aristófanes sobre el origen del amor sexual. Según este mito, los habitantes originales de la Tierra eran criaturas de tronco esférico, cuatro manos y cuatro pies. Estos seres asexuados y autosuficientes eran muy arrogantes y atacaron repetidamente a los dioses. Para castigarlos, Zeus los dividió con sus rayos. Cada criatura quedó entonces convertida en dos, y las mitades anhelaban volver a unirse.

*Eros*, el impulso hacia el amor apasionado y romántico, puede verse como este antiguo deseo de fusión con la otra mitad. Parece ser una necesidad humana, universal e inconsciente; fundirse con el otro, derribar las fronteras, llegar a ser uno solo con el ser querido. Los psicólogos llaman a esto el hundimiento de las fronteras del ego. Algunos creen que este proceso tiene sus raíces en nuestras primeras experiencias, las que tenemos en un estado primigenio en el que el niño se funde por completo con el progenitor o con la persona que lo cuida.

Las pruebas sugieren que los recién nacidos no distinguen entre sí y el resto del universo. No poseen sentido de la identidad personal o, al menos, su identidad incluye a la madre, a otras personas y a todos los objetos de su entorno. No saben dónde terminan ellos mismos y empieza lo «otro». Les falta lo que se conoce como permanencia del objeto: los objetos no tienen existencia independiente; si los niños no interactúan con un objeto, éste no existe. Si, por ejemplo, un niño sostiene un sonajero en la mano, lo reconoce como parte de sí mismo, pero en cuanto se lo quitan y lo esconden a su vista, el sonajero deja de existir.

En el momento de nacer, el cerebro todavía no está plenamente «conectado». A medida que el bebé crece y el cerebro madura, su interacción con el mundo que le rodea se hace más compleja y el pequeño va adquiriendo gradualmente sentido de la identidad personal, del «yo», en contraposición con el «otro». Al mismo tiempo, se desarrolla una sensación de aislamiento y una conciencia de las propias limitaciones. Naturalmente, la formación de la identidad continúa durante la infancia y la adolescencia, a medida que el individuo entra en contacto con el mundo. Somos el resultado del desarrollo de representaciones internas, formadas en buena parte por reflejos de las primeras interacciones con las personas importantes de nuestra historia personal y por reflejos del papel que tenemos en el conjunto de la sociedad. Poco a poco, la identidad personal y la estructura intrapsíquica se hacen más complejas.

Pero es muy probable que una parte de nosotros siga tratando de regresar a un estado anterior, un estado bienaventurado en el que no existía sentimiento de aislamiento o separación. Muchos psicólogos contemporáneos creen que la primera experiencia de «unicidad» queda incorporada a nuestra mente subconsciente y en la edad adulta impregna nuestro inconsciente y nuestras fantasías íntimas. Están convencidos de que la fusión con la persona amada cuando se está enamorado es como un eco de la que hubo con la madre en la infancia. Recrea esa sensación mágica, un sentimiento de omnipotencia, como si todo fuera posible. Y resulta muy difícil soslayar un sentimiento semejante.

No es nada extraño, por tanto, que la búsqueda del amor romántico sea algo tan poderoso. ¿Cuál es entonces el problema y por qué el Dalai Lama afirma sin vacilar que la búsqueda del romanticismo es algo negativo?

Reflexioné sobre el problema de basar una relación en el amor romántico, de refugiarnos en el romanticismo como una fuente de felicidad. Pensé entonces en David, un antiguo paciente mío. David, un arquitecto paisajista de treinta y cuatro años, se presentó en mi consulta con los síntomas típicos de una grave depresión. Dijo que su depresión podía haber sido desencadenada por algunas tensiones, relacionadas con el trabajo, pero que «en realidad, parecía haber surgido de la nada». Analizamos la opción de administrar un psicofármaco, que él aceptó. La medicación fue muy efectiva y los síntomas agudos desaparecieron al cabo de tres semanas, de modo que él pudo regresar a su vida normal. Al explorar su historial, sin embargo, no tardé en darme cuenta de que, además de la depresión aguda, también sufría de distimia, una insidiosa depresión crónica de baja intensidad, presente desde hacía muchos años. Una vez que se hubo recuperado de la depresión aguda, empezamos a explorar su historia personal, dando por supuesto que nos ayudaría a comprender cómo se habría producido la distimia.

Después de unas cuantas sesiones, un día David llegó a la consulta jubiloso.

—¡Me siento maravillosamente bien! —declaró—. ¡No me había sentido tan bien desde hacía años!

Mi reacción ante esa noticia fue preguntarme si no había entrado en una fase de perturbación. Pero no se trataba de eso.

—¡Estoy enamorado! —me dijo—. La conocí la semana pasada en una subasta. Es la mujer más hermosa que he visto jamás. Esta semana hemos salido juntos casi todas las noches, y tengo la impresión de que somos compañeros de toda la vida, nacidos el uno para el otro. ¡Simplemente, no me lo puedo creer! No había salido con nadie desde hacía dos o tres años y empezaba a creer que ya no podría hacerlo cuando, de pronto, aparece ella.

David se pasó la mayor parte de la sesión catalogando las notables virtudes de su nueva amiga.

—Creo que estamos hechos el uno para el otro en todos los sentidos. No se trata únicamente de una cuestión sexual; nos interesamos por las mismas cosas y hasta nos asusta darnos cuenta de que pensamos lo mismo. Naturalmente, soy realista y me doy cuenta de que nadie es perfecto... Como por ejemplo la otra noche, en que me sentí un tanto molesto porque pensé que flirteaba con unos hombres en el club donde estábamos..., pero los dos habíamos bebido demasiado y ella no hacía sino divertirse. Más tarde hablamos de ello y lo aclaramos.

David regresó a la semana siguiente para anunciarme que había decidido dejar la terapia.

—Todo está funcionando maravillosamente bien en mi vida. Sencillamente, no veo de qué podemos hablar en la terapia —me explicó—. Mi depresión ha desaparecido. Duermo como un bebé. He recuperado mi ritmo de trabajo y mantengo una magnífica relación que no hace sino mejorar cada vez más. Creo que nuestras sesiones me han ayudado, pero en estos momentos no veo razón alguna para seguir gastando dinero en ellas.

Le dije que me alegraba de que todo le fuera tan bien, pero le recordé algunos de los conflictos que habíamos empezado a identificar y que podrían haberlo conducido a su distimia. Por mi mente pasaron todos los términos psiquiátricos habituales, como «resistencia» y «defensas». David, sin embargo, no se dejó convencer.

—Bueno, quizá algún día examine esas cosas —me dijo—, pero creo que todo lo ocurrido ha tenido mucho que ver con la soledad, con la sensación de que me faltaba alguien, una persona especial con la que compartir mis cosas, y ahora ya la he encontrado.

Se mostró inflexible en cuanto a dar por terminada la terapia ese mismo día. Tomamos medidas para que su médico de cabecera mantuviera un seguimiento del régimen de medicación, dedicamos la sesión a una revisión y terminé asegurándole que podía venir a verme siempre que lo deseara.

Varios meses más tarde, David regresó a la consulta.

—Lo he pasado muy mal —dijo con tono abatido—. La última vez que le vi las cosas funcionaban magníficamente. Creí haber encontrado realmente a la pareja ideal. Le planteé incluso el matrimonio. Pero cuanto más cerca quería estar de ella, tanto más se alejaba de mí. Finalmente, rompió conmigo, y durante un par de semanas volví a estar realmente deprimido. Empecé incluso a llamarla sin decir nada, sólo para escuchar su voz, y a acercarme a su lugar de trabajo sólo para ver si su coche estaba allí. Después de aproximadamente un mes sentí náuseas ante lo que estaba haciendo; me parecía ridículo. Entonces, al menos, la depresión mejoró un poco. Ahora como y duermo bien, me va bien en el trabajo y tengo mucha energía, pero sigo con la sensación de que me falta algo. Es como si hubiera retrocedido, me siento exactamente como me he sentido durante tantos años...

Reanudamos la terapia.


Parece claro que, como fuente de felicidad, el amor romántico deja mucho que desear. Y quizá el Dalai Lama no andaba tan descaminado al rechazar el amor romántico como base para una relación y al describirlo como una simple «fantasía... inalcanzable», algo que no merecía nuestros esfuerzos. Considerándolo más atentamente, tal vez él hacía una descripción objetiva de la naturaleza del amor romántico y no, como yo creía, un juicio negativo, promovido por sus muchos años de formación monacal. Hasta los diccionarios, que ofrecen numerosas definiciones de «idilio» y «romántico», emplean profusamente expresiones como «historia ficticia», «exageración», «falsedad», «fantasioso o imaginativo», «no práctico», «sin base en los hechos», «característico o preocupado por el acto amoroso o el cortejo idealizado», «obsesionado por hechos amatorios idealizados», etcétera. Es evidente que en algún momento de la civilización occidental se ha producido un cambio. El concepto antiguo de *eros*, con su componente de fusión con el otro, ha adquirido un nuevo significado. El idilio romántico adopta así una cualidad artificial, con matices de fraude y engaño, lo que indujo a Oscar Wilde a observar crudamente: «Cuando uno está enamorado, empieza siempre por engañarse a sí mismo y acaba siempre engañando a los demás. Eso es lo que el mundo considera un idilio romántico».

Antes exploramos el papel de la proximidad y la intimidad en la felicidad humana. No cabe la menor duda de que es importante. Pero si buscamos una satisfacción duradera en una relación, el fundamento de la misma tiene que ser sólido. Por esa razón el Dalai Lama nos anima a examinar la base de nuestros vínculos. La atracción sexual, e incluso la intensa sensación de enamoramiento, pueden tener un papel en la creación del vínculo inicial entre dos personas, pero lo mismo que sucede con el pegamento, este factor tiene que mezclarse con otros ingredientes para formar una unión duradera. Al tratar de identificarlos, nos volvemos una vez más hacia lo que aconseja el Dalai Lama para construir una relación sólida: afecto, compasión y respeto mutuo. Esas cualidades nos permiten alcanzar una vinculación más profunda y significativa, no sólo con nuestro amante o cónyuge, sino también con amigos, conocidos e incluso personas totalmente extrañas; es decir, virtualmente con todos los seres humanos. Nos abre posibilidades y oportunidades ilimitadas para la conexión.

# 7

# El valor y los beneficios
# de la compasión

## Definición de la compasión

A medida que avanzaban nuestras conversaciones, descubrí que la compasión en la vida del Dalai Lama es mucho más que el mero cultivo de la benevolencia para mejorar la relación con los demás: como budista practicante, la compasión era indispensable para su desarrollo espiritual.

—Dada la importancia que le concede el budismo, como parte esencial del desarrollo espiritual —pregunté—, ¿podría definirme con mayor claridad qué quiere decir al hablar de «compasión»?

El Dalai Lama contestó:

—La compasión puede definirse como un estado mental que no es violento, no causa daño y no es agresivo. Se trata de una actitud mental basada en el deseo de que los demás se liberen de su sufrimiento, y está asociada con un sentido del compromiso, la responsabilidad y el respeto a los demás.

»En la definición de compasión, la palabra tibetana *Tse-wa* denota también un estado mental que implica el deseo de cosas buenas para uno mismo. Para desarrollar el sentimiento de compasión, puede empezarse por el deseo de liberarse uno mismo del sufrimiento, para luego cultivarlo, incrementarlo y dirigirlo hacia los demás.

»Ahora bien, cuando la gente habla de compasión, creo que la confunde a menudo con el apego. Así que tenemos que establecer primero una distinción entre dos clases de amor o compasión. La primera se halla matizada por el apego, se ama a otro esperando que el otro nos ame a su vez. Esta compasión es bastante parcial y sesgada, y una relación basada exclusivamente en ella es inestable. Una relación apoyada en la percepción e identificación de la persona como un amigo puede conducir a un cierto apego emocional y a una sensación de proximidad. Pero si se produce un cambio en la situación, un desacuerdo quizá, o que el otro haga algo que nos enoje, cambia la perspectiva y desaparece el otro como "amigo". El apego emocional se evapora entonces y, en lugar de amor y preocupación, quizá se experimente odio. Así pues, ese amor basado en el apego puede hallarse estrechamente vinculado con el odio.

»Pero existe una compasión libre de tal apego. Ésa es la verdadera compasión. No obedece tanto a que tal o cual persona me sea querida como al reconocimiento de que todos los seres humanos desean, como yo, ser felices y superar el sufrimiento. Y también, como me sucede a mí, tienen el derecho natural de satisfacer esta aspiración fundamental. Sobre la base del reconocimiento de esta igualdad, se desarrolla un sentido de afinidad. Tomando eso como fundamento, se puede sentir compasión por el otro, al margen de considerarlo amigo o enemigo. Tal compasión se basa en los derechos fundamentales del otro y no en nuestra proyección mental. De ese modo, se genera amor y compasión, la verdadera compasión.

»Vemos entonces que establecer la distinción entre estas dos clases de compasión y cultivar la verdadera puede ser algo muy importante en nuestra vida cotidiana. En el matrimonio, por ejemplo, existe generalmente un componente de apego emocional. Pero si interviene también la verdadera compasión, basada en el respeto mutuo como seres humanos, el matrimonio tiende a durar mucho tiempo. En el caso del apego emocional sin compasión, en cambio, el matrimonio es más inestable, con tendencia a fracasar.

Esa compasión universal, divorciada del sentimiento personal me parecía una exigencia excesiva.

—Pero el amor o la compasión es un sentimiento subjetivo. Creo que el tono del sentimiento sería el mismo, tanto si se «matiza con apego» como si es «verdadero». ¿Por qué es importante hacer una distinción?

El Dalai Lama me contestó con firmeza.

—En primer lugar, creo que hay diferencias entre el amor genuino, o compasión, y el amor basado en el apego. No es el mismo sentimiento. La verdadera compasión es mucho más fuerte, amplia y profunda. El amor y la compasión verdaderos también son más estables, más fiables. Por ejemplo, ves a un animal sufriendo intensamente, como un pez que se debate con el anzuelo en la boca, y no puedes soportar su dolor. No se debe a ninguna conexión especial con ese animal un sentimiento que se expresaría con: «Ese animal es mi amigo». En este caso, tu compasión surge simplemente del reconocimiento de que ese otro ser también tiene sentimientos, también experimenta dolor y tiene derecho a no sufrir. Así pues, esa compasión, no mezclada con el deseo o el apego, es mucho más sana y perdurable.

Seguí ahondando un poco más en el tema.

—En su ejemplo de ver sufrir intensamente a un pez, plantea una cuestión vital, asociada con la incapacidad de soportar su dolor.

—Sí —contestó el Dalai Lama—. En cierto sentido, podría definirse la compasión como el sentimiento de no poder soportar el sufrimiento de otros seres sensibles. Y para generar ese sentimiento se tiene que haber apreciado antes la gravedad o la intensidad del sufrimiento del otro. Así pues, creo que cuanto más plenamente comprendamos el sufrimiento, tanto más profunda será nuestra capacidad de compasión.

—Bien —dije, dispuesto a abordar lo esencial—, sin duda una mayor conciencia del sufrimiento del otro puede intensificar nuestra capacidad para la compasión. De hecho, la compasión supone, por definición, abrirse al sufrimiento del otro, compartirlo. Pero hay una cuestión más básica: ¿por qué deseamos asumir el sufrimiento del otro cuando ni siquiera queremos soportar el propio? La mayoría de nosotros hace todo lo posible para evitar el dolor, hasta el punto de tomar drogas, por ejemplo. Entonces, ¿por qué asumir deliberadamente el sufrimiento de otro?

El Dalai Lama me contestó sin vacilación.

—Creo que hay una diferencia cualitativa. —Hizo una pausa y luego, como si se hubiera percatado sin esfuerzo de mis sentimientos, continuó—: Al pensar en nuestro sufrimiento, nos sentimos abrumados, como si soportáramos una pesada carga, e impotentes. Hay un cierto desánimo, como si nuestras facultades se debilitaran.

»Al generar compasión, en cambio, al asumir el sufrimiento de otro, también se puede experimentar inicialmente un cierto grado de incomodidad, una sensación de que aquello es insoportable. Pero, el sentimiento es muy diferente porque, por debajo de la incomodidad, hay un grado muy alto de alerta y determinación, ya que se asume voluntaria y deliberadamente el sufrimiento del otro con un propósito elevado. Aparece un sentimiento de conexión y compromiso, la voluntad de abrirse a los demás, una sensación de frescura en lugar de desánimo. Recuerda la situación de un atleta. Mientras se halla sometido a un entrenamiento riguroso, el atleta sufre mucho, trabaja, suda, se esfuerza. Puede ser una experiencia dolorosa y agotadora. Pero él no la ve como tal, sino que la asume como una experiencia asociada con un sentido: el goce. Si esa persona, sin embargo, se viera sometida a cualquier otro trabajo físico que no formara parte de su entrenamiento pensaría: "¿Por qué tengo que someterme a este suplicio?". Así pues, en la actitud mental radica la gran diferencia.

Estas palabras, pronunciadas con tanta convicción, me elevaron desde un sentimiento de agobio hasta otro relacionado con la posibilidad de la resolución del sufrimiento o de su trascendencia.

—Ha dicho que el primer paso para generar esa clase de compasión era la apreciación del sufrimiento. Pero ¿no existe alguna otra técnica budista para aumentar la compasión?

—Sí. En la tradición del budismo Mahayana, por ejemplo, encontramos dos. Se las conoce como el «método de los siete puntos de causa-efecto» y el «intercambio e igualdad de uno mismo con los demás». Esta última se encuentra en el octavo capítulo de *Guía del estilo de vida del Bodhisattva*, de Shantideva. —Miró el reloj, dándose cuenta de que se nos acababa el tiempo—. A finales de esta semana, durante las charlas, practicaremos algunos ejercicios o meditaciones sobre la compasión.

## El verdadero valor de la vida humana

—Hemos estado hablando sobre la importancia de la compasión —empecé a decir—, acerca de su convicción de que el afecto y la cordialidad son absolutamente necesarios para la felicidad. Pero supongamos que un rico hombre de negocios se le acerca y le dice: «Su Santidad, decís que la benevolencia y la compasión son actitudes decisivas en la búsqueda de la felicidad. Pero resulta que no soy por naturaleza una persona muy cálida o afectuosa. Para ser francos, no me siento particularmente compasivo o altruista. Tiendo a ser más bien racional, práctico y quizá intelectual, no experimento emociones de aquella clase. No obstante, me siento a gusto y feliz con mi vida. Tengo un negocio de mucho éxito, buenos amigos, me ocupo de mi esposa y de mis hijos y creo mantener buenas relaciones con ellos. No tengo la impresión de que me falte nada. Desarrollar compasión y altruismo me parece muy bien, pero ¿de qué me sirve? Todo eso me parece demasiado sentimental».

—En primer lugar —replicó el Dalai Lama—, si una persona me dijera eso dudaría que fuera realmente feliz en lo más profundo de sí. Estoy convencido de que la compasión constituye la base de la supervivencia humana, el verdadero valor de la vida humana y que, sin ella, nos falta una pieza fundamental. Una fuerte sensibilidad ante los sentimientos de los demás es producto del amor y la compasión, y sin ella el hombre de su ejemplo tendría problemas para relacionarse con su esposa. Si mantuviera realmente esa actitud de indiferencia ante el sufrimiento y los sentimientos de los demás, aunque fuera multimillonario, tuviera una buena educación, una familia y se hallara rodeado de amigos ricos y poderosos, lo positivo en su vida sería sólo superficial.

»Pero si continuara ajeno a la compasión, y creyendo que no le falta nada..., resultaría un tanto difícil ayudarle a comprender la importancia de ella...

El Dalai Lama se interrumpió para reflexionar. Sus pausas a lo largo de nuestra conversación no creaban un silencio incómodo entre nosotros, pues parecían dar más peso y significado a sus palabras cuando se reanudaba la conversación.

—Volviendo a su ejemplo, puedo señalar varias cosas. En primer lugar, le sugeriría a ese hombre que reflexionara sobre su propia experiencia. Se daría cuenta de que si alguien lo trata con compasión y afecto le hace feliz. Así pues, y sobre la base de esa experiencia, podría darse cuenta de que los demás también se sienten felices cuando se les demuestra afecto y compasión. En consecuencia, reconocer este hecho contribuiría a que fuera más respetuoso con la sensibilidad de los demás y a inclinarlo hacia la compasión. Al mismo tiempo, descubriría que cuanto más afecto se ofrece a los demás, tanto más afecto se recibe. No creo que tardara mucho en darse cuenta de eso. Y, como consecuencia, en su vida la confianza mutua y la amistad tendrían bases sólidas.

»Supongamos ahora que ese hombre tuviera toda clase de posesiones materiales, se viera rodeado de amigos, se sintiera seguro y su familia estuviera satisfecha de disfrutar de una vida cómoda. Es concebible que, hasta cierto punto e incluso sin recibir afecto, el hombre no experimentara la sensación de que le falta algo. Pero si creyera que todo está bien, que no hay verdadera necesidad de desarrollar compasión, le diría que ese punto de vista se debe a la ignorancia y a la estrechez de miras. Aunque pareciera que los demás se relacionan con él plenamente, en realidad podrían verse influidos por su riqueza y su poder. Así que, en cierto modo, aunque no recibieran afecto de él, quizá se sintieran satisfechos y no esperaran más. Pero si la fortuna de este hombre declinara, la relación se debilitaría. Entonces él empezaría a valorar el calor humano y sufriría.

»No obstante la compasión es algo con lo que se puede contar, y aunque se tengan problemas económicos o la buena fortuna disminuya, se seguiría teniendo algo que compartir con los semejantes. Las economías mundiales son siempre poco sólidas, y estamos expuestos a muchas pérdidas en la vida, pero la actitud compasiva es algo que siempre podemos llevar con nosotros.

Entró un asistente vestido con una túnica marrón y sirvió silenciosamente el té, mientras el Dalai Lama seguía hablando.

—Claro que al intentar explicarle a alguien la importancia de la compasión podemos encontrarnos con una persona muy endurecida, individualista y egoísta, alguien preocupado únicamente por sus intereses. Y hasta es posible que haya personas incapaces de experimentar empatía. No obstante, incluso a esas personas es posible señalarles la importancia de la compasión y el amor, argumentando que es la mejor forma de satisfacer sus propios intereses. Esas personas desean disfrutar de buena salud, vivir mucho tiempo y tener paz mental, felicidad y alegría. Y tengo entendido que hay pruebas científicas de que se pueden alcanzar mediante el amor y la compasión... Pero, como médico, como psiquiatra, quizá sepa usted más que yo sobre eso.

—Sí —asentí—. Creo que hay pruebas científicas que apoyan las afirmaciones sobre los beneficios físicos y emocionales de los estados mentales compasivos.

—En tal caso, creo que eso animaría ciertamente a algunas personas a cultivar dicho estado mental —comentó el Dalai Lama—. Pero dejando al margen esos estudios científicos, hay argumentos que la gente podría extraer de sus experiencias cotidianas. Se podría seña-

lar, por ejemplo, que la falta de compasión conduce a una cierta crueldad. Muchos ejemplos revelan que en el fondo las personas crueles
son infelices, como Stalin y Hitler. Sufren una angustiosa sensación
de inseguridad y temor, incluso mientras duermen... Les falta algo que
sí puede encontrarse en una persona compasiva, como la sensación
de libertad, de abandono, que les permite relajarse cuando duermen.
La gente cruel no tiene nunca esa experiencia. Están siempre agobia-
das por algo, no pueden dejarse llevar, no se sienten libres.

»Aunque no hago sino especular —siguió diciendo—, yo diría que
si se le preguntara a esas personas crueles: "¿Cuándo se sintió más
feliz, durante la infancia, mientras su madre le cuidaba, y estaba íntimamente unido a su familia, o ahora que tiene más poder, influencia
y posición?", contestarían que su infancia fue más agradable. Creo
que hasta Stalin fue querido por su madre durante su infancia.

—Stalin —observé— ha sido un ejemplo perfecto de las consecuencias de vivir sin compasión. Es sabido que los dos rasgos principales
que caracterizaron su personalidad fueron la crueldad y el recelo. Él
consideraba la crueldad una virtud y se puso el apodo de Stalin, que
significa «hombre de acero». Con los años se tornó cada vez más
cruel. Su actitud recelosa llegó a ser legendaria. Ordenó purgas masi-
vas y campañas contra diversos grupos, con el resultado de millones
de personas recluidas en campos de concentración. A pesar de todo, él
seguía viendo enemigos por todas partes. Poco antes de su muerte le
dijo a Nikita Jruschev: «No confío en nadie, ni siquiera en mí mismo».
Al final, se revolvió incluso contra su personal más fiel. Y está claro
que cuanto más cruel y poderoso era, más desdichado se sentía. Un
amigo dijo que al final el único rasgo humano que le quedaba era la
infelicidad. Y su hija Svetlana describió cómo se veía agobiado por
la soledad y el vacío interior, hasta el punto de que ya no creía que los
demás fueran capaces de ser sinceros o de tener un corazón cálido.

»En cualquier caso, sé que sería muy difícil comprender a personas
como Stalin y por qué hicieron cosas terribles. Pero vemos que incluso estas personas extremadamente crueles miran hacia atrás con nos-

talgia, al recordar los aspectos más agradables de su infancia, como el amor que recibieron de sus madres. Y, sin embargo, ¿dónde deja eso a las personas que no vivieron infancias agradables ni tuvieron madres cariñosas? ¿Qué decir entonces de las personas que fueron maltratadas? Estamos hablando de la compasión, así que para que la gente desarrolle capacidad para ella, ¿no le parece necesario que hayan sido criados por personas que les demostraran calor y afecto?

—Sí, creo que eso es importante —convino el Dalai Lama. Hizo girar el rosario entre los dedos, con movimientos ágiles—. Hay algunas personas que, ya desde el principio, han sufrido mucho y les ha faltado el afecto de los demás, y más tarde parecen no tener capacidad para la compasión y el afecto; son personas cuyo corazón se ha endurecido y son brutales...

El Dalai Lama se detuvo de nuevo y, durante un rato, pareció reflexionar profundamente sobre el tema. Al inclinarse sobre el té, los contornos de sus hombros sugirieron que se hallaba profundamente sumido en sus pensamientos. Tomó el té en silencio. Finalmente, se encogió de hombros, como si reconociera que no había encontrado la solución.

—¿Cree entonces que las técnicas para aumentar la empatía y desarrollar la compasión no serían útiles en personas con tales antecedentes? —le pregunté.

—En general esas técnicas siempre han tenido efectos beneficiosos, pero es posible que en algunos casos sean ineficaces...

—¿Y las técnicas específicas que aumentan la compasión, a las que antes se refería? —le interrumpí, tratando de clarificar las cosas.

—Precisamente de eso es de lo que estábamos hablando. En primer lugar, el aprendizaje y la comprensión clara del valor de la compasión permiten alcanzar sentimientos de estar convencidos y decididos a practicarla. A continuación se emplean los métodos para aumentar la empatía, como la imaginación, la creatividad, imaginarse en la situación del otro. Esta semana, en las charlas, hablaremos de ciertas prácticas, como el *Tong-Len*, que sirven para fortalecer la compasión. Pero creo que es importante recordar que nunca se esperó que estas técnicas pudieran ayudar a todos sin excepción.

»Lo que importa es que la gente realice un esfuerzo sincero por desarrollar su capacidad de compasión. El grado de desarrollo que alcancen depende, desde luego, de muchas variables. Pero si se esfuerzan por ser amables, por cultivar la compasión y conseguir que el mundo sea un lugar mejor, al final del día podrán decirse: "¡Al menos he hecho lo que he podido!".

## Los beneficios de la compasión

En años recientes muchos estudios apoyan la conclusión de que el desarrollo de la compasión y el altruismo tiene un efecto positivo sobre nuestra salud física y emocional. En un conocido experimento, David McClelland, psicólogo de la Universidad de Harvard, mostró a un grupo de estudiantes una película sobre la Madre Teresa trabajando entre los enfermos y los pobres de Calcuta. Los estudiantes declararon que la película había estimulado sus sentimientos de compasión. Más tarde, se analizó la saliva de los estudiantes y se descubrió un incremento en el nivel de inmunoglobulina A, un anticuerpo que ayuda a combatir las infecciones respiratorias. En otro estudio realizado por James House en el Centro de Investigación de la Universidad de Michigan, los investigadores descubrieron que realizar trabajos de voluntariado con regularidad, interactuar con los demás en términos de benevolencia y compasión, aumentaba espectacularmente las expectativas de vida y, probablemente, también la vitalidad general. Muchos investigadores del nuevo campo de la medicina mente-cuerpo han realizado descubrimientos similares y concluido que los estados mentales positivos pueden mejorar nuestra salud física.

Además de los efectos beneficiosos que tiene sobre la salud física, hay pruebas de que la compasión y el cuidado de los demás contribuyen a mantener una buena salud emocional. Abrirse para ayudar a los demás induce una sensación de felicidad y serenidad. En un estudio realizado a lo largo de treinta años con un grupo de graduados de Harvard, el investigador George Vaillant llegó a la conclusión de que un estilo de vida altruista constituye un componente básico de una buena salud mental. En una encuesta de Allan Luks, realizada entre varios miles de personas que participaban regularmente en actividades de voluntariado, declaró tener más del 90 por ciento, una sensación de «entusiasmo» asociado con la actividad, caracterizado por un incremento de energía y autoestima y una especie de euforia. El voluntariado no sólo proporcionaba una interacción que era emocionalmente nutritiva, sino también esa «serenidad del que ayuda», vinculada con el alivio de perturbaciones derivadas del estrés.

Aunque las pruebas científicas apoyan claramente la postura del Dalai Lama acerca del valor de la compasión, no hay necesidad de acudir a experimentos y encuestas para confirmar la corrección de su punto de vista. Podemos descubrir los estrechos vínculos que existen entre compasión y felicidad en nuestras vidas y las vidas de quienes nos rodean. Joseph, un contratista de la construcción de sesenta años, a quien conocí hace unos años, es un buen ejemplo de ello. Durante treinta años, Joseph se aprovechó de las ventajas de la expansión aparentemente ilimitada que se produjo en Arizona, y se convirtió en multimillonario. A finales de la década de 1980, sin embargo, se produjo la crisis inmobiliaria más grande de la historia del estado. Joseph estaba fuertemente endeudado y lo perdió todo. Sus problemas financieros crearon fuertes tensiones entre él y su esposa, que finalmente llevaron al divorcio después de veinticinco años de matrimonio. Joseph empezó a beber en exceso. Afortunadamente, pudo dejarlo con la ayuda de Alcohólicos Anónimos. Como parte de su programa, ayudó a otros alcohólicos a rehabilitarse. Descubrió entonces que disfrutaba con la actividad de voluntario. Dedicó sus conocimientos empresariales a ayudar a los económicamente deprimidos. Al hablar de la vida que llevaba, Joseph señaló:

—Ahora soy propietario de un pequeño negocio de albañilería

con unos ingresos modestos, y ya no volveré a ser tan rico como antes. Lo más extraño de todo, sin embargo, es que no añoro aquella prosperidad. Dedico mi tiempo a actividades de voluntariado para diferentes grupos, a trabajar directamente con la gente, a ayudarlos lo mejor que puedo. Actualmente, disfruto más en un solo día que antes en un mes, cuando ganaba mucho dinero. Nunca he sido tan feliz.

## Meditación sobre la compasión

Fiel a su palabra, el Dalai Lama terminó su ciclo de conferencias en Arizona con una meditación sobre la compasión. Fue un sencillo ejercicio. No obstante, pareció sintetizar poderosa y elegantemente su análisis previo.

—Al generar compasión, se empieza por reconocer que no se desea el sufrimiento y que se tiene el derecho a alcanzar la felicidad. Eso es algo que puede verificarse con facilidad. Se reconoce luego que las demás personas, como uno mismo, no desean sufrir y tienen derecho a alcanzar la felicidad. Eso se convierte en la base para empezar a generar compasión.

»Así pues, meditemos hoy sobre la compasión. Empecemos por visualizar a una persona que está sufriendo, a alguien que se encuentra en una situación dolorosa, muy infortunada. Durante los tres primeros minutos de la meditación, reflexionemos sobre el sufrimiento de ese individuo de forma analítica, pensemos en su intenso sufrimiento y lo infeliz de su existencia. Después tratemos de relacionarlo con nosotros mismos, pensando: "Ese individuo tiene la misma capacidad que yo para experimentar dolor, alegría, felicidad y sufrimiento". A continuación, tratemos de que surja en nosotros un sentimiento natural de compasión hacia esa persona. Intentemos llegar a una conclusión, pensemos en lo fuerte que es nuestro deseo de que esa persona se vea libre de su sufrimiento. Tomemos la decisión de ayudarla a sentirse aliviada. Finalmente, concentrémonos en esa resolución y, durante los últimos minutos de la meditación, tratemos de generar un estado de compasión y de amor en nuestra mente.

Tras decir esto, el Dalai Lama adoptó una postura de meditación, con las piernas cruzadas, y permaneció completamente inmóvil. Se produjo un intenso silencio. Era emocionante estar sentado entre la multitud aquella mañana. Imagino que ni siquiera el individuo más endurecido pudo evitar sentirse conmovido al verse rodeado por mil quinientas personas que concentraban su pensamiento en la compasión. Al cabo de unos pocos minutos, el Dalai Lama inició un cántico tibetano en tono bajo, con una voz profunda y melódica, que se rompía, descendía suavemente y consolaba.

*Tercera parte*

# Transformación
# del sufrimiento

# 8

## Afrontar el sufrimiento

EN TIEMPOS DE BUDA, murió el único hijo de una mujer llamada Kisagotami. Incapaz de aceptar aquello, la mujer corrió de una persona a otra en busca de una medicina que devolviera la vida a su hijo. Le dijeron que Buda la tenía.

Kisagotami fue a ver a Buda, le rindió homenaje y preguntó:

—¿Puedes preparar una medicina que resucite a mi hijo?

—Conozco esa medicina —contestó Buda—. Pero para prepararla necesito ciertos ingredientes.

—¿Qué ingredientes? —preguntó la mujer, aliviada.

—Tráeme un puñado de semillas de mostaza —le dijo Buda.

La mujer le prometió que se las procuraría, pero antes de que se marchase, Buda añadió:

—Necesito que las semillas de mostaza procedan de un hogar donde no haya muerto ningún niño, cónyuge, padre o sirviente.

La mujer asintió y empezó a ir de casa en casa, en busca de las semillas. En todas las casas que visitó, la gente se mostró dispuesta a darle las semillas, pero al preguntar ella si en la casa había muerto alguien, se encontró con que todas las casas habían sido visitadas por la muerte; en una había muerto una hija, en otra un sirviente, en otras el marido, o uno de los padres. Kisagotami no pudo hallar un hogar donde no se hubiera experimentado el sufrimiento de la muerte. Al darse cuenta de que no estaba sola en su dolor, la madre se desprendió del cuerpo sin vida de su hijo y fue a ver a Buda, quien le dijo con gran compasión:

—Creíste que sólo tú habías perdido un hijo; la ley de la muerte es que no hay permanencia entre las criaturas vivas.

La búsqueda de Kisagotami le enseñó que nadie se libra del sufrimiento y la pérdida. Ella no era una excepción. Esa comprensión no eliminó el sufrimiento inevitable que comporta toda pérdida, pero redujo el que deriva de luchar contra ese triste hecho.

Aunque el dolor y el sufrimiento son fenómenos humanos universales, eso no hace que sea fácil aceptarlos. Los seres humanos han diseñado un vasto repertorio de estrategias para evitarlos. A veces utilizamos medios externos, como sustancias químicas, eliminando o reduciendo nuestro dolor con drogas y alcohol. También disponemos de mecanismos internos, de defensas psicológicas, a menudo inconscientes, que nos protegen de dolores y angustias excesivos. En ocasiones, esos mecanismos de defensa pueden ser bastante primitivos, como negarnos a reconocer que existe un problema. En otras ocasiones, lo reconocemos vagamente, sumergidos en distracciones o entretenimientos. O incapaces de aceptar que tenemos un problema, lo proyectamos inconscientemente sobre los demás y los acusamos de ocasionarnos sufrimiento. «Sí, me siento muy desdichado. Pero me sentiría bien si no fuera por ese jefe desquiciado que me persigue.»

El sufrimiento sólo se puede evitar temporalmente. Pero, al igual que una enfermedad que se deja sin tratar (o que se trata superficialmente con una medicación que se limita a enmascarar los síntomas), invariablemente se encona y empeora. Las drogas o el alcohol alivian nuestro dolor durante un tiempo, pero con su uso continuado el daño físico a nuestros cuerpos y el daño social a nuestras vidas puede provocar mucho más sufrimiento que la difusa insatisfacción o el agudo dolor emocional que nos indujeron a consumir esas sustancias. Las defensas psicológicas, como la negación o la represión, pueden aliviar el dolor, pero el sufrimiento no desaparece por ello.

Randall perdió a su padre hace poco más de un año, a causa del cáncer. Estaba muy compenetrado con él, y todos se sorprendieron al observar lo bien que sobrellevaba su desaparición.

—Pues claro que me siento triste —explicaba con un tono estoico—. Pero me encuentro bien. Lo echo de menos, pero la vida sigue. Y de todos modos no puedo pensar en su pérdida. Tengo que ocuparme del funeral, de mi madre y de las propiedades... Pero me irá bien —le decía tranquilizadoramente a todos.

Un año más tarde, sin embargo, poco después del primer aniversario de la muerte de su padre, Randall empezó a experimentar una grave depresión. Acudió a verme y explicó:

—No comprendo qué me está causando esta depresión. Todo parece ir bien en estos momentos. No puede ser por la muerte de mi padre, porque eso ocurrió hace más de un año y ya lo tengo asumido.

Sin embargo, con muy pocas sesiones de terapia quedó claro que los esfuerzos que realizaba por dominar sus emociones, para «ser fuerte», le habían impedido afrontar plenamente sus sentimientos de dolor y pérdida, que siguieron creciendo hasta manifestarse en una depresión abrumadora que sí se vio obligado a afrontar.

En el caso de Randall, su depresión desapareció con bastante rapidez en cuanto enfocamos la atención sobre su dolor y sentimientos de pérdida y pudo asumirlos. En ocasiones, sin embargo, nuestras estrategias inconscientes para soslayar conflictos se hallan mucho más profundamente enraizadas y es difícil sacarlas a la luz. Casi todos conocemos a alguien que evita los problemas proyectándolos sobre los demás, atribuyendo a los otros sus propios defectos. Ciertamente, no es un método adecuado para eliminar los problemas, y por lo general condena a una vida de infelicidad.

El Dalai Lama habló del sufrimiento humano y la necesidad de aceptarlo como un hecho natural de la existencia humana.

—En nuestras vidas abundan los problemas. Los mayores son los que no podremos evitar, como el envejecimiento, la enfermedad y la muerte. No pensar en ellos puede aliviarnos temporalmente, pero creo que existe un enfoque mejor. Si se afronta directamente el sufrimiento, se estará en mejor posición para apreciar la profundidad y la naturaleza del problema. Si en una batalla se desconocen las características del enemigo y su capacidad de combate, nos veremos paralizados por el temor.

Este enfoque era claramente razonable pero, con el deseo de ahondar un poco más en el tema, pregunté:

—Sí, pero ¿y si se afronta directamente un problema y se descubre que no hay solución? Eso es bastante duro de aceptar.

—Sigo creyendo que es mucho mejor —contestó él con espíritu marcial—. Por ejemplo, pueden considerarse negativos e indeseables el envejecimiento y la muerte, y tratar de olvidarlos. Pero terminarán por llegar, inevitablemente. Y si has evitado pensar en ello, cuando estén ahí, se producirá una conmoción que causará una insoportable inquietud mental. No obstante, si dedicas algún tiempo a pensar en la vejez, la muerte y otras cosas infortunadas, tu mente tendrá más estabilidad cuando esas cosas acontezcan, puesto que ya te habrás familiarizado con su naturaleza.

»Ésa es la razón por la que creo que puede ser útil prepararse, familiarizarse con el sufrimiento. Por utilizar de nuevo la analogía de la batalla, reflexionar sobre el sufrimiento puede verse como un ejercicio militar. La gente que nunca ha oído hablar de la guerra, de cañones y bombardeos, podría llegar a desmayarse si tuviera que entrar en combate. Pero, por medio de los ejercicios militares, se familiariza con lo que puede suceder, de modo que, en el caso de que estalle una guerra, las cosas no le serán tan duras.

—Bueno, no creo que familiarizarnos con el sufrimiento que puede sobrevenir tenga algún valor para reducir el temor y el recelo; sigo pensando que, a veces, ciertos dilemas no nos presentan ninguna otra opción que el sufrimiento. ¿Cómo podemos evitar preocuparnos en tales circunstancias?

—¿Un dilema? Por ejemplo, ¿cuál?

Pensé un momento.

—Bueno, digamos, por ejemplo, que una mujer está embarazada y le practican una amniocentesis o un sonograma y descubren que el niño tendrá un grave defecto de nacimiento, como una disfunción mental o física extremadamente grave. La mujer se angustia, porque no sabe qué hacer. Puede abortar y salvar así al bebé de una vida de sufrimiento, pero entonces ella se enfrentará al dolor de la pérdida y quizá a sentimientos de culpabilidad. También puede dejar que la naturaleza siga su curso y tener el bebé. Pero entonces quizá tenga que enfrentarse a una vida llena de sufrimientos por la enfermedad del niño.

El Dalai Lama me escuchó atentamente mientras hablaba. Luego me contestó con un tono un tanto melancólico.

—Esa clase de problemas son realmente muy difíciles, tanto si los abordamos desde una perspectiva occidental como budista. Por lo que se refiere a su ejemplo, nadie sabe realmente qué será lo mejor a largo plazo. Aunque un niño nazca con un defecto, es posible que a largo plazo sea mejor para la madre, la familia o incluso el propio niño. Pero también existe la posibilidad de que, teniendo en cuenta las consecuencias a largo plazo, sea mejor abortar. Pero ¿quién decide una cosa así? Es muy difícil decirlo. Incluso desde el punto de vista budista, esa clase de juicio se encuentra fuera del alcance de nuestra capacidad racional. —Hizo una pausa, antes de añadir—: En esas situaciones las convicciones juegan un papel determinante.

Permanecimos en silencio. Luego, tras sacudir la cabeza, dijo finalmente:

—Podemos prepararnos para el sufrimiento, al menos hasta cierto punto, recordando que a veces nos encontraremos con situaciones muy complicadas. Uno puede prepararse mentalmente. Pero tampoco habría que olvidar el hecho de que eso no resuelve el problema. Es posible que te ayude mentalmente a afrontarlo, que reduzca el temor, pero el problema sigue ahí. Su ejemplo lo ilustra muy bien.

Percibí una nota de tristeza en su voz, pero la melodía fundamental no era la desesperanza. Durante un minuto largo, el Dalai Lama guardó silencio, sin dejar de mirar por la ventana, como si buscara algo en el mundo. Finalmente, continuó:

—El sufrimiento forma parte de la vida. Tenemos una tendencia natural a odiar nuestro sufrimiento y nuestros problemas. Pero creo que, habitualmente, las personas no ven la naturaleza de nuestra existencia como caracterizada por el sufrimiento... —De repente, el Dalai Lama se echó a reír—. En los cumpleaños, la gente suele decir: «¡Feliz cumpleaños!», cuando, en realidad, el día en que naciste fue el día en que empezaste a sufrir. Pero nadie dice: «¡Feliz aniversario del comienzo del sufrimiento!» —bromeó.

»Al aceptar que el sufrimiento forma parte de nuestra existencia, se pueden empezar a examinar los factores que normalmente dan lugar a sentimientos de insatisfacción e infelicidad. En términos generales, por ejemplo, te sientes feliz si tú o personas cercanas a ti reciben alabanzas, consiguen fama, fortuna y otras cosas agradables. Y uno se siente desdichado y descontento si no se tienen esas cosas o si las alcanza un enemigo. Sin embargo, al considerar tu vida cotidiana, descubres a menudo que son muchos los factores que causan dolor, sufrimiento y sentimientos de insatisfacción, mientras que las situaciones que dan lugar a la alegría y la felicidad son comparativamente raras. Eso es algo por lo que tenemos que pasar, tanto si nos gusta como si no. Y puesto que ésta es la realidad de nuestra existencia, es posible que haya que modificar nuestra actitud hacia el sufrimiento. Esa actitud es muy importante porque determinará nuestra forma de afrontar el sufrimiento cuando llegue. Ahora bien, la actitud habitual consiste en una aversión e intolerancia intensas hacia nuestro dolor. Sin embargo, si pudiéramos adoptar una actitud que nos permitiera una mayor tolerancia, eso contribuiría mucho a contrarrestar los sentimientos de infelicidad, de insatisfacción y de descontento.

»Para mí, personalmente, la práctica más efectiva para tolerar el sufrimiento consiste en ver y comprender que el sufrimiento es la naturaleza fundamental del *Samsara*,* de la existencia no iluminada. Cuando se experimenta un dolor surge un sentimiento de rechazo. Pero si en ese momento puedes contemplar la situación desde otro ángulo y darte cuenta de que este cuerpo... —se palmeó un brazo como demostración— es la base misma del sufrimiento, eso reduce el rechazo, ese sentimiento de que, de algún modo, no mereces sufrir, de que eres una víctima. Una vez que comprendes y aceptas esta realidad, llegas a experimentar el sufrimiento como algo bastante natural.

»Así, por ejemplo, al recordar el sufrimiento por el que ha tenido que pasar el pueblo tibetano, podría uno sentirse abrumado, preguntándose: "¿Cómo ha podido ocurrir esto?". Pero, desde otro ángulo, se puede reflexionar sobre el hecho de que el Tíbet también se encuentra en pleno *Samsara*, como el planeta y toda la galaxia.

Se echó a reír.

—En cualquier caso, creo que percibir la vida como un todo tiene un papel importante en la actitud que se asuma ante el sufrimiento. Si tu perspectiva básica, por ejemplo, es que el sufrimiento es negativo y tiene que ser evitado a toda costa y que, en cierto sentido, es una señal de fracaso, padecerás ansiedad e intolerancia y cuando te encuentres en circunstancias difíciles, te sentirás abrumado. Por otro lado, si tu perspectiva acepta que el sufrimiento es una parte natural de la exis-

---

* *Samsara* (sánscrito) es un estado de la existencia caracterizado por interminables ciclos de vida, muerte y renacimiento. Este término también se refiere a nuestro estado ordinario de existencia, caracterizado por el sufrimiento. Todos los seres permanecen en este estado, a consecuencia de las improntas kármicas de acciones pasadas y de estados «engañosos» de la mente, hasta que se eliminan todas las tendencias negativas de la mente y se alcanza un estado de liberación.

tencia, serás indudablemente más tolerante ante las adversidades de la vida. Sin un cierto grado de tolerancia hacia el propio sufrimiento, la vida se convierte en algo miserable, como una mala noche eterna.

—Me parece que cuando dice que la naturaleza fundamental de la existencia es el sufrimiento, algo básicamente insatisfactorio, expresa un punto de vista bastante pesimista, realmente descorazonador.

El Dalai Lama se apresuró a replicar:

—Al hablar de la naturaleza insatisfactoria de la existencia, hay que comprender que lo hago en el contexto del camino budista general. Estas reflexiones tienen que comprenderse en su verdadero contexto; si no se hace, estoy de acuerdo en que puede ser interpretado erróneamente y considerado bastante pesimista y negativo. En consecuencia, es importante comprender la postura budista respecto al sufrimiento. Lo primero que Buda enseñó fue el principio de las cuatro nobles verdades, la primera de las cuales es la verdad del sufrimiento. Y aquí se hace hincapié en la toma de conciencia de la naturaleza humana.

»Lo que hay que tener en cuenta es que la importancia de la reflexión sobre el sufrimiento deriva de la posibilidad de abandonarlo, porque hay otra opción. Existe la posibilidad de liberarnos del sufrimiento. Al eliminar sus causas, es posible liberarse de él. Según el pensamiento budista, las causas profundas del sufrimiento son la ignorancia, el anhelo y el odio, a las que se llama "los tres venenos de la mente". Estos términos tienen connotaciones específicas utilizados en un contexto budista. "Ignorancia", por ejemplo, no se refiere a la falta de información, sino más bien a una falsa percepción de la verdadera naturaleza del ser y de todos los fenómenos. Al generar una percepción de la verdadera naturaleza de la realidad y eliminar los estados negativos de la mente como el anhelo y el odio, se puede alcanzar un estado completamente purificado de la mente, libre del sufrimiento. En un contexto budista, al reflexionar sobre el hecho de que el sufrimiento caracteriza la existencia cotidiana, nos estimulamos a realizar prácticas que eliminarán sus causas profundas. De otro modo, si no hubiera esperanza o posibilidad de liberarnos del sufrimiento, la simple reflexión sobre el mismo sería enfermiza y, por tanto, bastante negativa.

Mientras hablaba, empecé a percatarme de que reflexionar sobre nuestra «naturaleza sufriente» podía ayudarnos a aceptar las inevitables penas de la vida, que podía ser incluso un método valioso para situar nuestros problemas cotidianos en la debida perspectiva. Empecé así a ver el sufrimiento dentro de un contexto más amplio, como parte de un camino espiritual más grande, sobre todo si se tiene en cuenta la doctrina budista, que reconoce la posibilidad de purificar la mente y, en último término, alcanzar un estado en el que no hay más sufrimiento. Pero, alejándome de estas grandiosas especulaciones filosóficas, sentí gran curiosidad por saber cómo afrontaba el Dalai Lama el sufrimiento, cómo abordaba la pérdida de un ser querido, por ejemplo.

La primera vez que visité Dharamsala, hace muchos años, pude conocer al hermano mayor del Dalai Lama, Lobsang Samden. Le llegué a tomar cariño y me entristeció mucho su muerte. Sabedor de que él y el Dalai Lama habían estado muy unidos, comenté:

—Imagino que la muerte de su hermano Lobsang debió de ser muy dura para usted...

—Sí.

—Me preguntaba cómo la afrontó.

—Naturalmente, me sentí muy triste al enterarme de su muerte —contestó con serenidad.

—¿Y cómo asumió ese sentimiento de tristeza? ¿Hubo algo en particular que le ayudara a superarlo?

—No lo sé —contestó, pensativo—. Experimenté ese sentimiento de tristeza durante algunas semanas, pero luego, gradualmente, fue desapareciendo. Había, sin embargo, un sentimiento de pesar.

—¿De pesar?

—Sí. Yo no estaba presente cuando murió y creo que si hubiera estado allí, quizá podría haber hecho algo para ayudar. De ahí procede ese sentimiento de pesar.

Toda una vida dedicada a contemplar la inevitabilidad del sufrimiento humano pudo haber ayudado al Dalai Lama a aceptar su pérdida, pero no le convirtió en un individuo frío y sin emociones, dotado de una inexorable resignación ante el sufrimiento; la tristeza de su voz revelaba profundos sentimientos. Al mismo tiempo, sin embargo, su candor y franqueza, totalmente desprovistos de autoconmiseración o remordimiento, mostraban a un hombre que había aceptado plenamente su pérdida.

Ese mismo día, nuestra conversación se prolongó hasta bien entrada la tarde. Cuchilladas de luz dorada atravesaban la semipenumbra. Un ambiente de melancolía inundaba la habitación y me hizo saber que nuestra conversación se acercaba a su término. Confiaba, sin embargo, en obtener algún consejo adicional para asumir la muerte de un ser querido, aparte de limitarse a aceptar la inevitabilidad del sufrimiento.

No obstante, cuando ya me disponía a hablar, me pareció que estaba un tanto distraído y observé una sombra de cansancio alrededor de sus ojos. Poco después, su secretario entró silenciosamente y me dirigió aquella mirada afilada por los años que indicaba que había llegado el momento de marcharse.

—Sí... —dijo el Dalai Lama como si pidiera disculpas—, quizá debiéramos dejarlo por hoy... Me siento un poco cansado.

Al día siguiente, antes de que yo tuviera la oportunidad de volver a plantear el tema en nuestras conversaciones privadas, él lo abordó en una de sus charlas públicas. Uno de los presentes, claramente sumido en el sufrimiento, preguntó al Dalai Lama:

—¿Tiene alguna sugerencia sobre cómo afrontar una gran pérdida personal, como la de un hijo?

El Dalai Lama contestó, con un suave tono de compasión:

—Eso depende, hasta cierto punto, de las creencias personales. Si se cree en la reencarnación, eso puede mitigar la pena o la preocupación. Cabe consolarse con el hecho de que el ser querido renacerá algún día.

»Las personas que no creen en la reencarnación, han de tener presente, en primer lugar, que si se preocupan en exceso y se dejan abrumar por la pena y la pérdida, actuarán de forma nociva para ellos y además no beneficiarán a la persona que ha fallecido.

»En mi propio caso, por ejemplo, he perdido a mi más querido y respetado tutor, a mi madre y también a uno de mis hermanos. Cuando fallecieron, naturalmente me sentí muy triste. Pero no dejaba de pensar que no servía de nada preocuparme demasiado y que, si quería realmente a esas personas, debería cumplir sus deseos con una mente serena. Así que hice todo lo que pude para que fuese así. Creo que ésa es la forma adecuada de afrontarlo, procurar que se cumplan los deseos de los desaparecidos.

»Inicialmente, claro está, los sentimientos de dolor y ansiedad constituyen una respuesta natural ante una pérdida. Pero si se permite que esos sentimientos persistan, pueden conducirnos al ensimismamiento, a la soledad del sufrimiento. Es entonces cuando aparece la depresión. Por otra parte, la experiencia de la pérdida alcanza a la mayoría de los seres humanos; es útil reflexionar sobre ello, porque así ya no nos sentiremos aislados. Eso puede ayudar.


Aunque el dolor y el sufrimiento sean fenómenos humanos universales, he tenido a menudo la impresión de que las personas educadas en las culturas orientales parecen tener una mayor capacidad para aceptarlos y tolerarlos. Ello se debe en parte a sus creencias, pero quizá también a que el sufrimiento es más visible en las naciones más pobres, como la India. El hambre, la pobreza, la enfermedad y la muerte están a la vista de todos. Cuando una persona envejece o enferma, no es marginada ni enviada a una residencia, sino que permanece en la comunidad y es atendida por la familia. Quienes viven en contacto directo con la realidad no pueden negar fácilmente que el sufrimiento forma parte de la existencia.

A medida que la sociedad occidental adquirió capacidad para limitar el sufrimiento causado por las duras condiciones de vida, parece que perdió la habilidad para afrontarlo. Los estudios de los sociólogos ponen de manifiesto que la mayoría de la sociedad occidental moderna tiende a pasar por la vida convencida de que el mundo es básicamente un lugar agradable, que en general impera la justicia y que todos son buenas personas que merecen cosas buenas. Estas convicciones ayudan a llevar una vida más feliz y sana. Pero la aparición inevitable del sufrimiento mina esas creencias y provoca graves crisis. Dentro de este contexto, un trauma relativamente menor puede tener un enorme impacto psicológico, que intensifica, el sufrimiento.

No cabe la menor duda de que, con la actual tecnología, en la sociedad occidental ha mejorado el nivel general de bienestar, y esto ha aparejado un cambio en la percepción del mundo: a medida que el sufrimiento se hace menos visible, deja de verse como connatural a los seres humanos, se lo considera una anomalía, una señal de que algo ha salido terriblemente mal, como una señal de «fracaso» de algún sistema, incluso una violación de nuestro derecho a la felicidad.

Estos pensamientos conllevan muchos peligros. Si pensamos en el sufrimiento como algo antinatural, algo que no debiéramos experimentar, muy pronto buscaremos un culpable. Si me siento desgraciado, tengo que ser una «víctima», una idea demasiado común en Occidente. El que nos castiga con el sufrimiento puede ser el gobierno, el sistema educativo, unos padres abusivos, una «familia disfuncional», el sexo opuesto o nuestro despreocupado cónyuge. O quizá el mal esté dentro de nosotros: unos genes defectuosos. El riesgo de asignar culpas y mantener una postura de víctima es precisamente la perpetuación de nuestro sufrimiento, con sentimientos persistentes de cólera, frustración y resentimiento.

Naturalmente, el deseo de librarse del sufrimiento es un objetivo legítimo de todo ser humano. Es el corolario de nuestro deseo de ser felices. Es por tanto apropiado analizar las causas de nuestra infelicidad y hacer lo que esté a nuestro alcance para aliviar nuestros problemas, que busquemos soluciones en todos los planos: global, social, familiar e individual. Pero mientras veamos el sufrimiento como un estado antinatural, como una condición anormal que tememos y rechazamos, nunca lograremos desarraigar sus causas y llevar una vida feliz.

# 9

# Sufrimiento autoinfligido

En su visita inicial, el caballero de mediana edad, elegantemente vestido con un austero traje negro, se sentó con una actitud amable pero reservada y empezó a relatar lo que le había traído a mi consulta. Habló con bastante suavidad, con voz controlada y medida. Le hice las preguntas habituales: motivo de la consulta, edad, antecedentes, estado civil...

—¡Esa bruja! —gritó de repente, con la voz alterada por la cólera—. ¡Mi maldita esposa! Mi ex, ahora. ¡Mantenía relaciones extramatrimoniales a mis espaldas! Después de todo lo que había hecho por ella. ¡Esa... esa puta!

Su voz se hizo más fuerte, más colérica y venenosa mientras, durante los veinte minutos siguientes, fue narrando agravio tras agravio.

La hora se acercaba a su final. Al darme cuenta de que él no había hecho sino empezar y que aquello podía durar fácilmente varias horas, intenté corregir la situación.

—Bueno, la mayoría de la gente tiene dificultades para adaptarse después de un divorcio; por tanto abordaremos ese problema en las próximas sesiones. —Luego, le pregunté con voz tranquilizadora—: Y a propósito, ¿cuánto tiempo hace que se ha divorciado?

—Diecisiete años en el pasado mes de mayo.

En el capítulo anterior vimos la importancia de aceptar el sufrimiento como un hecho natural de la existencia humana. Muchos sufrimientos son inevitables, pero otros tienen su causa en nosotros mismos. Hemos visto que la negativa a aceptar el sufrimiento como algo natural puede conducirnos a considerarnos víctimas y a echar a los demás la culpa de nuestros problemas, una receta segura para llevar una vida desdichada.

Pero también aumentamos nuestro sufrimiento de otras formas. Sucede con demasiada frecuencia que perpetuamos nuestro dolor, lo mantenemos vivo cuando repasamos mentalmente una y otra vez nuestras heridas, al tiempo que exageramos las injusticias. Volvemos una y otra vez sobre los recuerdos dolorosos, quizá con el deseo inconsciente de que cambie la situación; pero no cambia. Claro que a veces este interminable repaso de nuestros infortunios puede servir para exagerar el drama y proporcionar cierto romanticismo a nuestras vidas, o para despertar la atención y la simpatía de los demás. Pero esas supuestas «ventajas» son demasiado pobres frente a la infelicidad que soportamos.

Sobre ello, dijo el Dalai Lama:

—Hay muchas formas de contribuir activamente a experimentar inquietud mental y sufrimiento. Aunque en general las aflicciones mentales y emocionales tienen causas externas, somos nosotros quienes las empeoramos. Por ejemplo, cuando sentimos cólera u odio hacia una persona, es poco probable que el sentimiento se exacerbe si no lo alimentamos. No obstante, si pensamos en las presuntas injusticias de que hemos sido objeto y seguimos pensando en ellas una y otra vez, avivamos el odio, convirtiéndolo en algo muy intenso. Lo mismo puede decirse cuando sentimos apego por alguien; podemos alimentar el sentimiento pensando continuamente en lo hermosa o atractiva que es esa persona, y así el apego se hace más y más fuerte. Eso demuestra que podemos cultivar nuestras emociones.

»A menudo también incrementamos nuestro dolor con una sensibilidad excesiva, al reaccionar con exageración ante cosas nimias. Tendemos a tomarnos las cosas pequeñas demasiado seriamente, a sacarlas de quicio mientras por otro lado seguimos indiferentes a las cosas realmente importantes, a aquellas que tienen efectos profundos sobre nuestras vidas y consecuencias sobre ellas a largo plazo.

»Así pues, creo que en buena medida el sufrimiento depende de cómo se responda ante una situación dada. Por ejemplo, descubrimos que alguien habla mal de nosotros a nuestras espaldas. Si se reacciona ante este conocimiento, ante esta negatividad, con un sentimiento de cólera o de dolor, es uno mismo el que destruye su propia paz mental. El dolor no es sino una creación personal. Por otro lado, si uno se contiene y evita reaccionar de manera negativa y deja pasar la difamación como un viento silencioso al que no se hace caso, se está protegiendo de sentirse herido, de esa sensación de agonía. Así pues, y aunque no siempre se puedan evitar las situaciones difíciles, sí se puede modificar la extensión del propio sufrimiento.

A veces, los terapeutas decimos de este proceso que es una «personalización» de nuestro dolor, es decir, la tendencia a estrechar nuestro campo de visión psicológico mediante la interpretación, acertada o errónea, de todo aquello que nos afecta.

Una noche cené con un colega en un restaurante. El servicio era muy lento y mi colega empezó a quejarse:

—¡Fíjate en eso! ¡Ese camarero es condenadamente lento! ¿Dónde se ha metido? Creo que pasa de nosotros.

A pesar de que ninguno de los dos tenía un compromiso urgente, las quejas de mi colega sobre el servicio siguieron durante toda la cena y terminaron por convertirse en una letanía sobre la comida, la vajilla y todo lo que no fuera de su agrado. Al final el camarero nos obsequió con dos postres gratuitos.

—Les ruego que disculpen la lentitud del servicio de esta noche —dijo—, pero tenemos poco personal. Ha muerto un familiar de uno de los cocineros y un camarero está enfermo. Espero no haberles causado muchas molestias...

—A pesar de todo, no volveré nunca aquí —murmuró amargamente mi colega una vez el camarero se hubo alejado.

Esto no es más que un pequeño ejemplo de cómo contribuimos a nuestro propio sufrimiento al afrontar una situación molesta como si obedeciera a un deliberado propósito de perjudicarnos. En este caso, el resultado fue una cena desagradable. Cuando esta actitud impregna toda relación con el mundo, puede convertirse en una fuente inagotable de desdichas.

Al describir las implicaciones de esta mentalidad estrecha, Jacques Lusseyran hizo un comentario muy penetrante. Lusseyran, ciego desde los ocho años de edad, fue el fundador de un grupo de la Resistencia durante la Segunda Guerra Mundial. Finalmente, fue detenido por los alemanes y enviado al campo de concentración de Buchenwald. Más tarde, al contar sus experiencias en los campos de concentración, Lusseyran afirmó: «Comprendí entonces que la infelicidad sobreviene porque creemos ser el centro del mundo, porque tenemos la mezquina convicción de que únicamente nosotros sufrimos, y con una intensidad insoportable. La infelicidad consiste en sentirnos siempre aprisionados en nuestra piel, en nuestro cerebro».

## «¡Pero eso no es justo!»

Los problemas surgen a menudo en nuestra vida. Pero los problemas, por sí solos, no provocan automáticamente el sufrimiento. Si logramos abordar con decisión nuestros problemas y centrar nuestras energías en encontrar una solución, el problema puede transformarse en un desafío. No obstante, si consideramos «injusto» ese contratiempo, añadimos un ingrediente que puede crear inquietud mental y sufrimiento. Entonces no sólo tenemos dos problemas, en lugar de uno, sino que ese sentimiento de «injusticia» nos distrae, nos consume, nos priva de la energía necesaria para solucionar el problema original.

Una mañana, al plantearle este tema al Dalai Lama, le pregunté:

—¿Cómo podemos afrontar el sentimiento de injusticia que con tanta frecuencia nos tortura cuando surgen los problemas?

—Hay muchas maneras de encararlo —contestó el Dalai Lama—. Ya he hablado de la importancia de aceptar el sufrimiento como un hecho natural de la existencia humana. Creo que, en cierto modo, los tibetanos están más capacitados para aceptar estas situaciones difíciles, ya que dicen: «Quizá se deba a mi karma en el pasado». Lo atribuirán a las acciones negativas cometidas en esta vida o en una vida anterior, de modo que hay mayor grado de aceptación. He visto a algunas familias, en nuestros asentamientos en la India, en situaciones muy difíciles, viviendo en condiciones muy pobres y, además de eso, con hijos ciegos o con alguna deficiencia. De algún modo, esas pobres mujeres se las arreglan, limitándose a decir: «Esto se debe a su karma; es su destino».

»A propósito del karma es importante señalar que, debido a una mala interpretación de la doctrina, hay una tendencia a echarle la culpa de todo lo que sucede al karma, en un intento por sacudirse la responsabilidad o la necesidad de tomar iniciativas. Resulta muy fácil decir: "Esto se debe a mi karma pasado, a mi karma negativo anterior, así que ¿qué puedo hacer? Soy impotente". Esa es una interpretación errónea del karma, pues aunque las experiencias son una consecuencia de los hechos del pasado, eso no quiere decir que los individuos no tengamos alternativas o que no haya posibilidad de producir un cambio positivo. Uno no debe ser pasivo y tratar de excusarse para no tomar la iniciativa atribuyéndolo todo al karma, porque si uno comprende correctamente el concepto de karma, sabrá que karma significa "acción". El karma es un proceso muy activo, y el futuro que nos está reservado viene determinado en buena medida por lo que hacemos en el presente, por las iniciativas que tomemos ahora.

»Así pues, no debería entenderse el karma en términos de una fuerza pasiva y estática, sino de un proceso activo. Eso indica que el agente individual tiene un papel importante en la determinación del proceso kármico. Por ejemplo, hasta el sencillo propósito de satisfacer nuestras necesidades de alimentación... Para alcanzar ese objetivo necesitamos actuar. Tenemos que buscar alimento y luego comerlo; eso demuestra que hasta el objetivo más simple se alcanza por medio de la acción...

—Está bien —asentí—, reducir el sentimiento de injusticia aceptando que es resultado del karma puede ser efectivo para los budistas. Pero ¿qué me dice de quienes no creen en la doctrina del karma? En Occidente, por ejemplo, son muchos los que...

—Muchas de las personas que creen en un creador, en Dios, pueden aceptar las circunstancias difíciles con mayor facilidad, al considerarlas parte de la creación o el plan de Dios. Aunque la situación parezca muy negativa, Dios es todopoderoso y misericordioso, de modo que tiene que haber algún significado en la situación que ellas desconocen. Creo que esa clase de fe puede ayudarlas en sus momentos de sufrimiento.

—¿Y qué me dice de los que no creen ni en el karma ni en un Dios creador?

—Para quien no sea creyente... —El Dalai Lama reflexionó un momento antes de responder—. Quizá pudiera ayudarle un enfoque práctico y científico. Los científicos consideran muy importante examinar un problema objetivamente, estudiarlo sin mucha implicación emocional. Con esa actitud puedes decirte: «Si se puede luchar contra el problema, lucha, ¡aunque tengas que llegar a los tribunales!». —Se echó a reír—. Luego, si descubres que no hay forma de ganar, puedes limitarte a olvidarlo.

»Un análisis objetivo de situaciones difíciles o problemáticas puede ser bastante importante, porque se descubre a menudo que detrás de las apariencias hay otros factores. Por ejemplo, si el jefe le ha tratado a uno injustamente en el trabajo, es posible que esté detrás, por ejemplo una discusión con su esposa por la mañana. Naturalmente, uno tiene que seguir afrontando las cosas según están, pero al menos con ese enfoque no se experimentará la ansiedad adicional que provoca.

—¿Es posible que el análisis objetivo de la situación nos ayude a descubrir que estamos contribuyendo a crear el problema y debilite el sentimiento de injusticia?

—¡Sí! —respondió con entusiasmo—. Ahí está la gran diferencia. En general, si examinamos cualquier situación de una forma imparcial y honesta, nos daremos cuenta de hasta qué punto somos también responsables de los acontecimientos.

»Por ejemplo, muchas personas echaron la culpa de la guerra del Golfo a Saddam Hussein. En varias ocasiones dije que eso no era justo. Teniendo en cuenta las circunstancias, sentí verdadera pena por Saddam Hussein. Claro que es un dictador, responsable de muchas barbaridades. Si se examina superficialmente la situación, resulta fácil echarle toda la culpa: es un dictador, un totalitario, ¡incluso su mirada parece siniestra! —exclamó, echándose a reír—. Pero su capacidad para causar daño sería muy limitada si no contara con su ejército, y ese poderoso ejército no puede funcionar sin equipo militar. Todo ese equipo militar no ha sido producido por él, ni ha llovido del cielo. Considerando las cosas de ese modo nos damos cuenta de que son muchas las naciones implicadas.

»Así pues —siguió diciendo el Dalai Lama—, nuestra tendencia normal consiste en achacar nuestros problemas a los demás o bien a factores externos. Además, solemos buscar una sola causa, para luego tratar de exonerarnos de toda responsabilidad. Parece que cada vez que hay implicadas emociones intensas, tiende a producirse una disparidad entre apariencia y la realidad. En mi ejemplo, si se analiza la situación muy cuidadosamente, se verá que Saddam Hussein no es la única causa del conflicto.

»Esta práctica supone mirar las cosas de una forma holística, darte cuenta de que son muchos los factores que intervienen en un hecho. Tomemos, por ejemplo, nuestro problema con los chinos; también nosotros hemos contribuido a originarlo, sobre todo por la negligencia de las generaciones que nos precedieron. Así pues, creo que nosotros, los tibetanos, hemos contribuido a esta trágica situación. No es justo echarle toda la culpa a China. Pero también hay perspectivas. Es preciso señalar que los tibetanos, por ejemplo, nunca se han sometido por completo a la opresión china, siempre ha habido una resistencia. Debido a ello, los chinos desarrollaron una nueva política y trasladaron grandes masas de chinos al Tíbet, de modo que la población autóctona acabara siendo demográficamente insignificante, quedara marginada y el movimiento de liberación perdiera fuerza. Pero tampoco podemos decir que la resistencia tibetana sea la única culpable de la política china.

—Pero ¿qué me dice de esas situaciones en las que está claro que lo ocurrido no es en absoluto culpa de uno, con las que uno no tiene nada que ver, incluso las relativamente insignificantes, como cuando alguien nos miente intencionadamente?

—Naturalmente, al principio siento desilusión cuando alguien no dice la verdad, pero incluso en tal caso, si examino la situación, puedo descubrir que su motivación para ocultarme algo puede haber sido cierta falta de confianza en mí. Así que, a veces, hay que considerar estos hechos desde otro ángulo; por ejemplo, que quizá la persona en cuestión no confió del todo en mí porque no sé guardar un secreto. En otras palabras, no soy digno de la plena confianza de esa persona debido a mi naturaleza. Examinando la situación de ese modo, podría concluir que la causa reside en mí.

Esta justificación racional, incluso procediendo del Dalai Lama, me parecía un tanto forzada: descubrir «la propia contribución» a la falta de honestidad del otro. Pero la sinceridad de su voz sugería que había puesto en práctica esta conducta en su vida personal como ayuda frente a la adversidad. Claro que es probable que no siempre podamos descubrir nuestra contribución, pero intentarlo nos permite desplazar el centro de atención, lo que nos ayuda a romper las estrechas pautas de pensamiento que conducen al sentimiento destructivo de injusticia, que es la fuente de tanto descontento.

## Culpabilidad

Como productos de un mundo imperfecto, todos somos imperfectos. Reconocer nuestros errores con genuino remordimiento nos sirve para mantenernos en el camino correcto en la vida, nos anima a rectificar nuestros errores si ello fuera posible. Pero si permitimos que nuestro pesar degenere hasta una culpabilidad excesiva y nos aferramos a nuestros errores del pasado, culpándonos y odiándonos por ellos, lo único que conseguiremos es flagelarnos inútilmente.

Durante una conversación anterior en la que hablamos brevemente de la muerte de su hermano, el Dalai Lama había expresado cierto pesar relacionado con ella. Era interesante ver cómo afrontaba aquellos sentimientos de pesar y quizá de culpabilidad, por lo que en una conversación posterior le pregunté:

—Cuando hablamos de la muerte de Lobsang mencionó usted su pesar. ¿Ha habido alguna otra situación en su vida en que se haya arrepentido de algo?

—Oh, sí. Un anciano monje que vivía como un ermitaño solía ir a verme para recibir enseñanzas, aunque creo que era más versado que yo y aquellas visitas no eran más que una formalidad. En cualquier caso, vino a verme un día y me preguntó acerca de una complicada práctica esotérica que quería realizar. Le comenté que era una práctica muy difícil y que quizá fuera mejor que la emprendiera alguien más joven, ya que tradicionalmente se inicia en la adolescencia. Más tarde me enteré de que el monje se había suicidado para renacer en un cuerpo más joven y poder entregarse a esos ejercicios...

—¡Eso es terrible! —exclamé, sorprendido por esta historia—. Tuvo que haber sido muy duro para usted cuando se enteró... —El Dalai Lama asintió con una expresión de tristeza—. ¿Cómo afrontó ese sentimiento de pesar? ¿Cómo se libró finalmente de él?

Permaneció en silencio durante un rato antes de contestar.

—No me libré de él. Sigue ahí, presente. —Hizo una nueva pausa, antes de añadir—: Pero ya no se halla asociado con una opresión. No sería útil para nadie que yo permitiera que ese sentimiento me abrumara, fuera una fuente de desánimo y depresión.

En ese momento y de un modo muy visceral, quedé asombrado una vez más ante el ser humano que afronta plenamente las tragedias de la vida y responde, incluso con profundo pesar, pero sin permitirse caer en una culpa excesiva o en el autodesprecio; que se acepta plenamente a sí mismo, con sus limitaciones, debilidades y errores de juicio. El Dalai Lama experimentaba un sincero pesar por los hechos que acababa de relatarme, pero llevaba su pesar con dignidad y elegancia. Y no permitía que ese sentimiento lo hundiera, prefería seguir adelante y dedicar sus facultades a la ayuda a los demás...

A veces me pregunto si la capacidad para vivir sin caer en la culpabilidad destructiva no será parcialmente cultural. Al contarle a un erudito amigo tibetano mi conversación con el Dalai Lama sobre el pesar, éste me dijo que la lengua tibetana no tiene siquiera una palabra equivalente a «culpa», aunque tiene otras que equivalen a «remordimiento» o «arrepentimiento» o «lamentación», con el sentido de «rectificar las cosas en el futuro». Sea cual fuere el componente cultural, estoy convencido de que al cuestionar nuestras formas habituales de pensar y cultivar una perspectiva mental diferente, basada en los principios descritos por el Dalai Lama, cualquiera de nosotros puede aprender a vivir sin la marca de la culpabilidad, que no hace otra cosa que causarnos un sufrimiento innecesario.

## Resistencia al cambio

La culpabilidad surge cuando nos convencemos de que hemos cometido un error irreparable. La tortura del que se culpa reside en pensar que cualquier problema es permanente. Pero, puesto que no hay nada que no cambie, el dolor también disminuye, ya que ningún problema es perpetuo. Éste es el aspecto positivo del cambio. Pero por lo general nos resistimos a él en casi todos los ámbitos de la vida. El primer paso para liberarnos del sufrimiento es conocer su causa fundamental: la resistencia al cambio.

Al describir la naturaleza siempre cambiante de la vida, el Dalai Lama explicó:

—Es extremadamente importante investigar los orígenes del sufrimiento, saber cómo surge. Para iniciar ese proceso se ha de ser consciente de la naturaleza cambiante de nuestra existencia. Todas las cosas, acontecimientos y fenómenos son dinámicos, cambian a cada momento; nada permanece estático. Meditar sobre la circulación sanguínea puede servirnos para reforzar esta idea: la sangre está fluyendo constantemente, nunca se está quieta. Y puesto que es propio de la naturaleza de todos los fenómenos el cambiar continuamente, concluimos que a las cosas les falta capacidad para perdurar, para seguir siendo lo mismo. Y si todas las cosas se hallan sujetas al cambio, nada existe en un estado permanente, nada es capaz de programarse para permanecer. Por tanto, todas las cosas se encuentran bajo el poder o la influencia de otros factores. Nada durará, al margen de lo agradable o placentera que pueda ser la experiencia. Esto se convierte en la base de una categoría de sufrimiento conocida en el budismo como el «sufrimiento del cambio».

El concepto de transitoriedad tiene un papel central en el pensamiento budista y su consideración es una práctica clave. La contemplación de la no permanencia tiene dos funciones vitales en el camino budista. En un plano convencional, en un sentido cotidiano, el practicante budista contempla su propia transitoriedad, el hecho de que la vida es tenue y de que nunca sabemos cuándo moriremos. Al combinar esta reflexión con la singularidad de la existencia humana y la posibilidad de alcanzar un estado de liberación espiritual, de liberación del sufrimiento y de interminables ciclos de reencarnaciones, esta contemplación sirve para fortalecer la resolución de sacarle el mejor partido posible a la existencia, participando en las prácticas espirituales que producirán la liberación. En un nivel más profundo, la contemplación de los aspectos más sutiles de la transitoriedad es el primer paso para comprender la verdadera naturaleza de la realidad y disipar la ignorancia, que es la fuente última de nuestro sufrimiento.

Así pues, aunque la contemplación de la transitoriedad tiene una tremenda importancia dentro de un contexto budista, surge la pregunta: ¿tiene también alguna aplicación práctica en las vidas cotidianas de los no budistas? Si vemos el concepto de «transitoriedad» desde el punto de vista del «cambio», entonces la respuesta es afirmativa. Después de todo, tanto si se contempla la vida desde una perspectiva budista como desde una perspectiva occidental, queda el hecho de que la vida es cambio. En la medida en que nos neguemos a aceptar este hecho y nos resistamos a los cambios de la existencia, seguiremos perpetuando nuestro sufrimiento.

La aceptación del cambio puede ser un factor importante para reducir en buena medida nuestro sufrimiento. A menudo nos causamos sufrimiento al negarnos a renunciar al pasado. Si definimos nuestra imagen por el aspecto que teníamos o por lo que solíamos hacer y no podemos hacer ahora, es muy probable que nos sintamos más infelices a medida que envejecemos. En ocasiones, cuanto más tratamos de aferrarnos a algo, tanto más grotesca y distorsionada se hace la vida.

La aceptación de la inevitabilidad del cambio como principio general nos ayuda a afrontar muchos problemas y a asumir un papel más activo; conocer y comprender los cambios puede evitarnos la ansiedad, que es la causa de muchos de nuestros problemas. Una mujer que acababa de ser madre me habló de una visita que había hecho con su bebé a la sala de urgencias del hospital a las dos de la madrugada.

—¿Qué le ocurre? —le preguntó el pediatra.

—¡Mi bebé! ¡Le pasa algo! —gritó ella frenéticamente—. ¡Creo que se ahoga! No hace más que sacar la lengua una y otra y otra vez, como si tratara de quitarse algo de ella, pero no tiene nada en la boca...

Después de unas pocas preguntas y un breve examen, el médico la tranquilizó.

—No hay por qué preocuparse. A medida que se hace mayor, el bebé cobra una mayor conciencia de su cuerpo y de lo que es capaz de hacer. Su bebé acaba de descubrirse la lengua.

Margaret, una periodista de treinta y un años, ilustra la importancia de comprender y aceptar el cambio en el contexto de una relación personal. Acudió a mi consulta por una ansiedad que atribuyó a la dificultad para adaptarse a un divorcio reciente.

—Pensé que me vendrían bien unas cuantas sesiones de psicoterapia, aunque sólo fuese para hablar con alguien —me explicó—, para que me ayude a dejar en paz el pasado y efectuar la transición a una vida de soltera. Si quiere que le sea sincera, la verdad es que me siento un poco nerviosa por todo esto...

Le pedí que me describiera las circunstancias de su divorcio.

—Supongo que tendría que describirlo como amistoso. No hubo peleas ni nada de eso. Mi ex y yo tenemos buenos trabajos, de modo que tampoco hubo grandes problemas con los acuerdos económicos. Tenemos un hijo, pero parece haberse adaptado bien al divorcio, y mi ex y yo hemos acordado una custodia conjunta que parece funcionar.

—¿Puede explicarme qué condujo al divorcio?

—Hmm, supongo que, simplemente, dejamos de amarnos —contestó ella con un suspiro—. Parece que el amor fue desapareciendo gradualmente; ya no existía la intimidad de que disfrutábamos cuando nos casamos. Ambos estábamos muy ocupados con nuestros trabajos y nuestro hijo y parece que nos fuimos alejando. Asistimos a unas sesiones de asesoramiento matrimonial, pero no sacamos nada de ellas. Era más bien como si fuésemos hermanos. Aquello no parecía amor, no era un verdadero matrimonio. El caso es que finalmente decidimos que sería mejor divorciarnos; nos faltaba algo que había antes.

Después de dedicar dos sesiones a delimitar el problema, iniciamos una psicoterapia, centrándonos específicamente en reducir la ansiedad y promover la adaptación a los recientes cambios. Era una persona inteligente y emocionalmente bien adaptada. Respondió bien a la terapia y efectuó con facilidad la transición a la vida de soltera.

A pesar de que evidentemente se preocupaban el uno por el otro, estaba claro que Margaret y su marido habían interpretado el cambio cualitativo de su afecto como una señal de que debían dar por terminado su matrimonio. Sucede con demasiada frecuencia que interpretamos una disminución de la pasión como una señal de que existe un problema irresoluble en la relación. Los primeros indicios de cambio en una relación suelen provocar pánico: quizá, después de todo, no hemos elegido la pareja correcta, el otro no nos parece la persona de la que nos enamoramos. Surgen los desacuerdos: quizá tengamos deseos de sexo y el otro está cansado, o queramos ver una película que al otro no le interesa. Descubrimos entonces diferencias que no habíamos observado antes. Así pues, llegamos a la conclusión de que todo ha terminado; al fin y al cabo, no podemos soslayar el hecho de que cada uno está cambiando por su lado. Las cosas ya no son como antes, quizá haya llegado el momento del divorcio.

¿Qué hacemos entonces? Los expertos en relaciones han escrito docenas de libros sobre lo que debemos hacer cuando se apaga la llama del amor romántico. Nos ofrecen muchas sugerencias para encender de nuevo esa pasión: reestructure su programa para dar prioridad a momentos románticos en su relación, planifique cenas o salidas de fin de semana, procure halagar a su pareja, aprenda a mantener una conversación interesante. En ocasiones, estas cosas ayudan. Otras veces, no.

Pero antes de dar por muerta la relación, una de las cosas más beneficiosas que podemos hacer al notar un cambio consiste simplemente en retroceder un poco, valorar la situación y armarnos con todo el conocimiento que podamos acerca de los cambios.

A medida que se despliegan nuestras vidas, pasamos desde la infancia a la adolescencia, la edad adulta y la vejez. Aceptamos estos cambios como una progresión natural. Pero una relación es también un sistema vital dinámico, compuesto por dos organismos que interactúan en un ambiente igualmente vital. Y por tanto es natural que la relación pase por diferentes fases. En toda relación hay diferentes dimensiones de intimidad: física, emocional e intelectual. El contacto físico, el compartir las emociones, los pensamientos e intercambiar ideas son formas legítimas de conectar con aquellas personas a las que amamos. Es normal que el equilibrio experimente flujos y reflujos; en ocasiones, la intimidad física disminuye pero aumenta la emocional; en otras ocasiones no sentimos deseos de compartir nuestros pensamientos, y sólo queremos que el otro nos abrace. Si la pasión se enfría, en lugar de experimentar preocupación o cólera podemos buscar nuevas formas de intimidad que pueden ser igualmente satisfactorias o quizá más. Podemos encantar a nuestra pareja como compañero, disfrutar de un amor más firme, de un vínculo más profundo.

En su libro *Comportamiento íntimo* [trad. cast. RBA, Barcelona, 1994], Desmond Morris describe los cambios normales que se producen en la necesidad de intimidad del ser humano. Sugiere que pasamos repetidamente por tres fases: «Abrázame fuerte», «Suéltame» y «Déjame solo». El ciclo se pone de manifiesto ya durante los primeros años de vida, cuando los niños pasan del «abrázame fuerte», tan característico de la infancia, al «suéltame», cuando empiezan a explorar el mundo, a gatear, caminar y adquirir algo de independencia y autonomía con respecto de la madre. Esto forma parte del desarrollo y el crecimiento normal. Estas fases no se mueven, sin embargo, de forma lineal sino que el niño puede experimentar ansiedad cuando el sentimiento de separación se hace demasiado intenso; entonces regresa junto a la madre en busca de consuelo y proximidad. En la adolescencia, cuando el individuo se esfuerza por formarse una identidad, el «suéltame» se convierte en la fase predominante. Aunque pueda ser difícil o doloroso para los padres, la mayoría de los expertos lo consideran normal y necesario en la transición de la infancia a la edad adulta. Mientras que en casa el adolescente grita a los padres «¡Dejadme solo!», sus necesidades de «abrázame fuerte» pueden quedar satisfechas mediante una fuerte identificación con el grupo de sus iguales.

En las relaciones adultas se da la misma oscilación. Períodos de estrecha intimidad alternan con otros de distanciamiento. Esto también forma parte del ciclo normal de crecimiento y desarrollo. Para alcanzar nuestro pleno potencial como seres humanos, necesitamos equilibrar nuestras necesidades de intimidad y unión con las de autonomía.

Si comprendemos esto, no experimentamos temor cuando observamos por primera vez que nos estamos «distanciando» de nuestra pareja, del mismo modo que no sentimos pánico cuando observamos que la marea se retira de la costa. Claro que, en ocasiones, una creciente distancia emocional (como una corriente soterrada de cólera), puede indicar graves problemas en una relación que pueden conducir incluso a la ruptura. En esos casos, medidas como la psicoterapia pueden ser muy útiles. Pero lo principal es que una creciente distancia no anuncia necesariamente un desastre. Puede formar parte de un ciclo que redefinirá la relación e incluso puede llevar a una intimidad mayor que la del pasado.

Así pues, la aceptación, el reconocimiento de que el cambio es inherente a las relaciones humanas, puede jugar un papel decisivo. Quizá descubramos que precisamente en el momento en que nos sentimos más desilusionados, en el que tenemos la sensación de que algo se ha resquebrajado en nuestra relación, es cuando puede producirse una transformación profunda. Estos períodos de transición pueden convertirse en momentos trascendentales para la maduración del verdadero amor. Quizá nuestra relación ya no se base en una pasión intensa, ni veamos al otro como la personificación de la perfección, ni tengamos la sensación de estar fusionados. En lugar de eso, empezamos a conocer verdaderamente al otro, lo vemos tal cual es, como un individuo distinto, quizá con defectos y debilidades, pero tan humano como nosotros mismos. Sólo entonces podemos establecer un compromiso con el crecimiento de otro ser humano, lo que supone un acto de verdadero amor.

Quizá el matrimonio de Margaret se hubiera salvado si hubiese aceptado el cambio en la relación y ambos hubiesen establecido un nuevo vínculo, basado en factores distintos de la pasión romántica.

Afortunadamente, sin embargo, la historia no terminó ahí. Dos años después de mi última sesión con Margaret, me la encontré en unos grandes almacenes. (Encontrarme con un ex paciente fuera de la consulta me resulta un tanto incómodo, como nos sucede a la mayoría de los psicólogos.)

—¿Cómo le van las cosas? —le pregunté.

—¡No podrían ir mejor! —exclamó—. Mi ex marido y yo volvimos a casarnos el mes pasado.

—¿De veras?

—Sí, y todo marcha magníficamente. Después de la separación seguimos viéndonos, claro, por la custodia de nuestro hijo. Nos resultó difícil al principio..., pero después parecía como si nos hubiésemos librado de la presión... Ya no teníamos expectativas comunes. Entonces descubrimos que realmente nos gustábamos y nos amábamos. Ahora no es como cuando nos casamos la primera vez, pero eso ya no nos importa; ahora somos realmente felices juntos.

# 10

## Cambio de perspectiva

HABÍA UNA VEZ UN DISCÍPULO de un filósofo griego al que su maestro le ordenó entregar dinero durante tres años a todo aquel que le insultara. Una vez superado ese período de prueba, el maestro le dijo: «Ahora puedes ir a Atenas y aprender sabiduría». Cuando el discípulo llegó a Atenas vio a un sabio sentado a las puertas de entrada de la ciudad que se dedicaba a insultar a todo el que entraba y salía. También insultó al discípulo, que se echó a reír. «¿Por qué te ríes cuando te insulto?», le preguntó el sabio. «Porque durante tres años he tenido que pagar por esto mismo y ahora tú me lo ofreces gratuitamente», contestó el discípulo. «Entra en la ciudad —le dijo el sabio—. Es toda tuya...»

En el siglo IV, los padres del desierto, un grupo de personajes excéntricos que se retiraron al desierto, en los alrededores de Scete, para llevar una vida de sacrificio y oración, contaban esta historia para ilustrar el valor del sufrimiento y la resistencia. Sin embargo, no fue ésta la que abrió la «ciudad de la sabiduría» al discípulo. Lo que le permitió afrontar de un modo tan efectivo una situación difícil fue su capacidad para cambiar de perspectiva, para ver su situación desde una atalaya diferente.

La capacidad para cambiar de perspectiva puede ser una de las herramientas más efectivas de que disponemos para afrontar los problemas de la vida cotidiana. El Dalai Lama explicó:

—La capacidad de ver los acontecimientos desde perspectivas diferentes puede ser muy útil. Al practicarla, podemos utilizar ciertas experiencias, tragedias próximas para desarrollar la serenidad de la mente. Tenemos que darnos cuenta de que cada fenómeno, cada acontecimiento, tiene aspectos diferentes. Todo tiene una naturaleza relativa. En mi caso, por ejemplo, he perdido mi país. Desde ese punto de vista, es muy trágico... y todavía hay cosas peores. En nuestro país se ha producido mucha destrucción. Eso es algo muy negativo. Pero cuando abordo el mismo acontecimiento desde otro ángulo, me doy cuenta de que, como refugiado, hay otra perspectiva. Como refugiado no tengo necesidad de formalidades, ceremonia, protocolo. Si todo fuera como antes habría multitud de ocasiones en las que únicamente haríamos los movimientos, fingiríamos. Pero cuando se pasa por situaciones desesperadas, no hay tiempo para fingir. Así que, desde ese ángulo, esta trágica experiencia ha sido muy útil para mí. El hecho de ser un refugiado también crea numerosas oportunidades para encontrarme con mucha gente. Gente de otras confesiones diferentes, de distintos ámbitos de la vida, a las que muy probablemente no habría conocido si hubiera permanecido en mi país. Así que, en ese sentido, todo esto ha sido muy, muy útil.

»A menudo, cuando surgen los problemas, nuestra perspectiva se estrecha. Quizá tengamos concentrada toda nuestra atención en preocuparnos por el problema y abriguemos la sensación de que únicamente nosotros pasamos por tales dificultades. Eso puede conducir a una especie de ensimismamiento que hace que el problema parezca muy grave. Cuando sucede eso, creo que puede ayudar mucho el ver las cosas desde una perspectiva más amplia, dándonos cuenta, por ejemplo, de que hay muchas personas que han pasado por experiencias similares e incluso peores. Este cambio de perspectiva puede ser muy útil incluso en ciertas enfermedades o cuando se sufre. Claro que cuando aparece el dolor resulta muy difícil practicar la meditación para serenar la mente. Pero si se hacen comparaciones, si se ve la situación desde una perspectiva diferente, algo ocurre. Si sólo se observa el acontecimiento, en cambio, éste parece cada vez más y más importante. Si se fija la atención intensamente en un problema, éste termina por parecer incontrolable. Pero si se compara con otro de mayor envergadura, entonces parece más pequeño y menos abrumador.

Poco antes de una de las sesiones con el Dalai Lama, me encontré con el administrador de una clínica en la que trabajé durante algún tiempo y donde tuvimos una serie de encontronazos porque yo estaba convencido de que él desviaba nuestra atención de los pacientes a las consideraciones financieras. No le había visto desde hacía tiempo, y en cuanto estuve frente a él pasaron por mi mente todas las discusiones que habíamos mantenido y sentí crecer en mi interior la cólera y el odio. Cuando me permitieron entrar en la *suite* del Dalai Lama, ya me había calmado bastante, a pesar de que aún me sentía algo inquieto.

—La respuesta natural e inmediata cuando alguien nos hace daño —dije— es enojarse; incluso mucho después, cada vez que pensamos en ello, volvemos a enfadarnos. ¿Cómo se puede afrontar esta situación?

El Dalai Lama me miró con expresión reflexiva. Me pregunté si percibiría que planteaba el tema no sólo por razones puramente académicas.

—Si examina la situación desde un ángulo diferente —contestó—, seguramente se dará cuenta de que la persona que provocó esa cólera tiene también cualidades positivas. Si observa cuidadosamente descubrirá también que aquello que le había molestado le proporcionó ciertas oportunidades que, de otro modo, no habría tenido. Así que podrá ver desde desde un ángulo diferente el acontecimiento. Eso ayuda.

—Pero ¿qué hacer si se buscan los aspectos positivos de una persona o acontecimiento y no se puede encontrar ninguno?

—En tal caso, la situación requeriría un esfuerzo. Dedique algún tiempo a buscar seriamente una perspectiva diferente. Necesitará utilizar toda su capacidad de razonamiento y examinar la situación del modo más objetivo posible. Por ejemplo, puede reflexionar sobre el hecho de que cuando está realmente enojado con alguien, tiende a percibir en el otro sólo cualidades negativas, del mismo modo que al sentirse fuertemente atraído por alguien, suele ver únicamente sus cualidades positivas. Si su amigo, al que considera una persona excelente, le causara deliberadamente daño, de repente usted se percataría de que no sólo tiene buenas cualidades. De modo similar, si su enemigo, al que detesta, le pidiera sinceramente perdón y se mostrara amable, es poco probable que siguiera considerándolo totalmente malo. Así pues, aunque esté enojado con alguien y crea que esa persona no posee cualidades positivas, recuerde que nadie es totalmente malo. Si busca lo suficiente, seguro que encontrará algunas cualidades positivas. En consecuencia, su visión de un individuo como absolutamente negativo se debe a su propia proyección mental, más que a la verdadera naturaleza de ese individuo.

»Asimismo, una situación inicialmente percibida como totalmente negativa puede tener algunos aspectos positivos. Pero creo que este descubrimiento no es suficiente. Es necesario recordar esos aspectos positivos en muchas ocasiones, para que gradualmente cambie el sentimiento negativo. En resumen, se debe pasar por un proceso de aprendizaje, de formación, para familiarizarse con los nuevos puntos de vista que permiten afrontar esas situaciones.

Después de reflexionar un momento, con su habitual pragmatismo, añadió:

—Sin embargo, si a pesar de sus esfuerzos no encontrara aspectos positivos, lo mejor que puede hacer es, sencillamente, tratar de olvidar el asunto por el momento.

Inspirado por las palabras del Dalai Lama, esa misma noche intenté descubrir algunos «aspectos positivos» del administrador que mencioné. No me resultó tan difícil. Sabía, por ejemplo, que era un padre cariñoso, que trataba de educar a sus hijos lo mejor que podía. Y tuve que admitir que mis encontronazos con él al fin y a la postre me habían beneficiado, puesto que me impulsaron a dejar aquella clínica, lo que me permitió realizar un trabajo más satisfactorio. Aunque estas reflexiones no tuvieron como resultado inmediato que el hombre me cayera simpático, no cabe duda de que contribuyeron mucho a disminuir mis sentimientos de aversión, al precio de un esfuerzo sorprendentemente pequeño. El Dalai Lama no tardaría en darme una lección todavía más profunda: cómo transformar por completo la actitud hacia los enemigos y empezar a apreciarlos.

## Una nueva perspectiva del enemigo

El método fundamental utilizado por el Dalai Lama para transformar la actitud ante los enemigos supone llevar a cabo un análisis sistemático y racional de nuestra respuesta habitual cuando nos causan daño.

—Empecemos por examinar la actitud característica hacia nuestros enemigos —explicó—. En términos generales, es evidente que no les deseamos lo mejor. Pero aunque nuestro adversario se hunda a consecuencia de nuestras acciones, ¿a qué viene alegrarse por ello? ¿Puede haber algo más lamentable que esos sentimientos de animadversión? ¿Desea uno ser realmente tan mezquino?

»Vengarse no hace sino crear un círculo vicioso. La otra persona no lo va a aceptar y, entonces, la cadena de venganzas es interminable. En ciertas sociedades, esa dinámica, puede transmitirse de una generación a otra. El resultado es que ambas partes sufren y la vida se envenena; puede comprobarse en los campos de refugiados, donde se cultiva el odio hacia el enemigo desde la infancia. Es muy triste. La cólera o el odio son como el anzuelo de un pescador. Es de vital importancia no morder ese anzuelo.

»Algunas personas consideran que el odio es bueno para el interés nacional, lo cual me parece muy negativo y de miras muy estrechas. Contrarrestar esta forma de pensar constituye la base del espíritu de la no violencia y la comprensión.

Tras haber rechazado nuestra actitud característica frente al enemigo, el Dalai Lama ofreció otra opción, una nueva perspectiva que podría revolucionar nuestra vida.

—En el budismo —explicó— se presta mucha atención a las actitudes que adoptamos ante nuestros enemigos. Ello se debe a que el odio puede ser nuestro mayor obstáculo para el desarrollo de la compasión y la felicidad. Si se aprende a ser paciente y tolerante con los enemigos, todo lo demás resulta mucho más fácil, y la compasión fluye con naturalidad.

»Así pues, para alguien que practica la espiritualidad, los enemigos juegan un papel crucial. Tal como veo las cosas, la compasión es la esencia de la vida espiritual. Y para alcanzar una práctica cabal del amor y la compasión, es indispensable la práctica de la paciencia y la tolerancia. No hay fortaleza similar a la paciencia, no hay peor aflicción que el odio. En consecuencia, no debemos ahorrar esfuerzos en la erradicación del odio al enemigo, y aprovechar el enfrentamiento como una oportunidad para intensificar la práctica de la paciencia y la tolerancia.

»De hecho, el enemigo es el elemento necesario para practicar la paciencia. Sin su oposición no pueden surgir la paciencia o la tolerancia. Normalmente, nuestros amigos no nos ponen a prueba ni nos ofrecen la oportunidad de cultivar la paciencia; eso es algo que sólo hacen nuestros enemigos. Así que, desde este punto de vista, podemos considerar a nuestro enemigo un gran maestro, y reverenciarlo incluso por habernos proporcionado esa preciosa oportunidad.

»En el mundo son relativamente pocas las personas con las que interactuamos, y todavía menos las que nos causan problemas. Por tanto, encontrarse ante la oportunidad de practicar la paciencia y la tolerancia debería suscitar nuestra gratitud, porque se da raras veces. Del mismo modo que si hubiéramos tropezado con un tesoro en nuestra propia casa, deberíamos sentirnos felices y agradecidos al enemigo por proporcionarnos esa preciosa oportunidad. Porque para alcanzar éxito en la práctica de la paciencia y la tolerancia, que son factores esenciales para contrarrestar las emociones negativas, además de nuestros esfuerzos hemos de tener la oportunidad aportada por un enemigo.

»Muchos argumentarán: "¿Por qué debo venerar a mi enemigo, reconocer sus aportaciones, si él no tuvo intención de ofrecerme esa oportunidad para practicar la paciencia, ni tampoco de ayudarme? Y no sólo no tuvo intención alguna de ayudarme, sino que abriga el propósito deliberado y malicioso de causarme daño. Es apropiado detestarlo, porque no merece mi respeto". En realidad, es precisamente esta animosidad del enemigo, su intención de causarnos daño, lo específico: si sólo se trata del daño, deberíamos odiar a todos los médicos y considerarlos enemigos, porque a veces adoptan métodos que pueden ser dolorosos. Sin embargo, no juzgamos esos actos dañinos ni propios de un enemigo, porque la intención del médico ha sido la de ayudarnos. En consecuencia, es precisamente la intención de causarnos daño lo que singulariza al enemigo; y nos ofrece una preciosa oportunidad de practicar la paciencia.

Al principio me resultó un tanto difícil aceptar la sugerencia del Dalai Lama de venerar al enemigo por las oportunidades de crecimiento que nos depara. Pero la situación es análoga a la persona que trata de tonificar y fortalecer el propio cuerpo mediante el levantamiento de pesas. Claro que, al principio, la actividad de levantar las pesas resulta incómoda. Uno se esfuerza y suda. Y, sin embargo, es el acto mismo de esforzarse por superar la resistencia lo que en último término nos fortalece. Se aprecia el buen equipo de pesas no por el placer inmediato que nos aporta, sino por el beneficio último que se deriva de él.

Quizá hasta las expresiones del Dalai Lama sobre la «rareza» y «valor precioso» del enemigo sean algo más que simples racionalizaciones de algo imaginario. Mientras escucho a mis pacientes describir sus dificultades con los demás, eso queda bastante claro; en el fondo, la mayoría de la gente no tiene legiones de enemigos y antagonistas a los que enfrentarse, al menos personalmente. Habitualmente, eso queda limitado a unas pocas personas. Quizá un jefe o un colaborador, una ex esposa, un hermano. Desde ese punto de vista, el enemigo es realmente «raro», de modo que nuestro «suministro de enemigos» es limitado. Y es la lucha, el proceso de resolver el conflicto con el enemigo, a través del aprendizaje, el examen, el descubrimiento de formas alternativas de afrontar los conflictos, lo que en último término da como resultado el verdadero crecimiento como una terapia acertada.

Imaginemos cómo serían las cosas si pasáramos por la vida sin encontrarnos jamás con un enemigo u otros obstáculos, si desde la cuna hasta la tumba todo el mundo nos halagara y mimara, nos abrazara y alimentara (con comida suave y blanda, fácil de digerir), si nos divirtiera con carantoñas y ocasionales arrullos. Si nos llevaran desde la infancia en un cestillo (más tarde, quizá en una silla de manos), si no tuviéramos que enfrentarnos nunca a ningún desafío, si nunca nos viéramos sometidos a prueba, en resumen, si todos continuaran tratándonos como a bebés. Quizá eso parezca conveniente al principio. Sería incluso apropiado durante los primeros meses de vida. Pero si la situación persistiera tendría como resultado convertirnos en una masa gelatinosa, en una verdadera monstruosidad, con el desarrollo mental y emocional de una ternera. Es la lucha misma la que nos hace ser lo que somos. Y son nuestros enemigos los que nos ponen a prueba, los que nos oponen la resistencia necesaria para el crecimiento.

## ¿Es práctica esta actitud?

Ciertamente, me pareció que valdría la pena enfocar nuestros problemas racionalmente y aprender a considerarlos, al igual que a nuestros enemigos, desde perspectivas distintas, aunque me preguntaba hasta qué punto podría suponer eso una transformación fundamental de actitudes. Recordé entonces haber leído en una entrevista que una de las prácticas espirituales diarias del Dalai Lama era recitar una oración, *Ocho versículos sobre la educación de la mente*, escrita en el siglo XI por el santo tibetano Langri Thangpa. He aquí un fragmento:

Cuando me acerque a alguien, en el fondo de mi corazón me consideraré el más bajo de todos y al otro el más alto...

Cuando vea a seres de naturaleza malvada, oprimidos por el pecado de la violencia y por la aflicción, los consideraré tan raros como un precioso tesoro...

Cuando otros, por envidia, me traten mal, abusen de mí, me difamen o me causen daños similares, aceptaré la derrota y a ellos ofreceré la victoria...

Aquel que tras haberle otorgado yo toda mi confianza me cause un grave daño, será mi supremo maestro.

En suma, que pueda yo dispensar beneficio y felicidad, directa e indirectamente, a todos los seres, que pueda asumir en secreto el daño y el sufrimiento de todos los seres...

Después de leer esto, le pregunté al Dalai Lama:

—Sé que ha reflexionado mucho sobre esta oración, pero ¿cree que es realmente aplicable en estos tiempos que corren? Fue escrita por un monje que vivió en un monasterio, un lugar donde lo peor que podía suceder era que alguien chismorreara o dijera mentiras sobre uno, o quizá le propinara un golpe o una bofetada. En un caso así, podría ser fácil «ofrecerles la victoria», pero en la sociedad actual el «daño» que se recibe de los demás puede ser la violación, la tortura o el asesinato.

Desde ese punto de vista, la actitud que muestra la oración no parece realmente adecuada.

Me sentí muy pagado de mí después de esta observación, que me parecía muy aguda.

El Dalai Lama guardó silencio, con el ceño fruncido, sumido en profundos pensamientos.

—Es posible que haya algo de cierto en lo que dice —admitió luego.

A continuación habló de casos en los que quizá fuera necesario modificar esa actitud, precaverse contra las agresiones.

Más tarde, esa misma noche, pensé en nuestra conversación. Dos puntos destacaron vivamente. Primero, la extraordinaria facilidad con que el Dalai Lama adoptaba una nueva perspectiva acerca de sus propias creencias y prácticas, como por ejemplo su disposición a volver a evaluar una oración que sin duda formaba parte de él después de acompañarle durante tantos años en sus prácticas espirituales. El segundo punto era ingrato. Me sentí abrumado por mi arrogancia. Le había sugerido que la oración podría no ser apropiada porque no se adaptaba a las duras realidades del mundo actual. Hasta más tarde no me di cuenta de que me había dirigido a un hombre que había perdido su país como resultado de una de las más brutales invasiones de la historia. Un hombre que había vivido en el exilio durante casi cuatro décadas, mientras toda una nación depositaba en él sus esperanzas y sueños de libertad. Un hombre dotado de un profundo sentido de la responsabilidad, que había escuchado con compasión a una continua corriente de refugiados que contaban sus experiencias sobre asesinatos, violaciones, torturas, sobre los sufrimientos del pueblo tibetano a manos de los chinos. Más de una vez había observado la expresión de infinita preocupación y tristeza en su rostro mientras escuchaba todas aquellas narraciones, contadas a menudo por gentes que habían cruzado el Himalaya a pie (en un viaje de dos años) simplemente para poder verlo.

Aquellas historias no hablaban sólo de violencia física, sino también del intento de destruir el espíritu del pueblo tibetano. En cierta ocasión, un refugiado tibetano me habló de la «escuela» china a la que se le obligó a asistir como adolescente en el Tíbet. Las mañanas se dedicaban al adoctrinamiento y el estudio del *Libro rojo* del presidente Mao, y las tardes a informar sobre los diversos deberes que había que realizar en casa. Por lo general, los «deberes» estaban diseñados para erradicar el espíritu del budismo, profundamente enraizado en el pueblo tibetano. Por ejemplo, conocedor de la prohibición budista de matar y de la convicción de que toda criatura viva es un precioso «ser sensible», un maestro de escuela encargó a sus estudiantes la tarea de matar algo y llevarlo a la escuela al día siguiente. Para calificar a los estudiantes se asignaron puntos a los animales muertos; una mosca, por ejemplo, valía un punto, un gusano dos, un ratón cinco, un gato diez... (Recientemente, al contarle esta historia a un amigo, sacudió pesaroso la cabeza, con una expresión de asco, y musitó: «Me pregunto cuántos puntos recibiría el alumno por asesinar a su condenado maestro».)

A través de prácticas espirituales como el recitado de *Ocho versículos sobre la educación de la mente*, el Dalai Lama ha podido reconciliarse con esta situación y, a pesar de todo, continuar una campaña activa por la liberación y por los derechos humanos en el Tíbet desde hace cuarenta años. Al mismo tiempo, ha mantenido una actitud de humildad y compasión con respecto a los chinos, lo que ha inspirado a millones de personas en todo el mundo. Y allí estaba yo, diciéndole que esa oración quizá no fuera relevante para las «realidades» del mundo actual. Todavía me sonrojo cuando recuerdo aquella conversación.

## Descubrimiento de nuevas perspectivas

Al tratar de poner en práctica el cambio de perspectiva con respecto al «enemigo» preconizado por el Dalai Lama, me encontré una tarde con otra técnica. Mientras preparaba este libro, asistí a unos seminarios del Dalai Lama en la costa este. Para regresar a casa tomé un vuelo sin escalas a Phoenix. Había reservado un asiento junto al pasillo, como siempre. A pesar de que acababa de recibir enseñanzas espirituales, me sentía bastante malhumorado cuando subí al atestado avión. Descubrí entonces que me habían asignado erróneamente un asiento en el centro, embutido entre un hombre de generosas proporciones, cuyo grueso antebrazo invadía mi asiento, y una mujer de mediana edad que me resultó inmediatamente antipática porque, a mi juicio, había usurpado el asiento junto al pasillo que me correspondía. Había algo en aquella mujer que me molestaba: quizá su voz chillona, o su actitud un tanto imperiosa. Después del despegue, la mujer empezó a hablar sin parar con un hombre sentado al otro lado del pasillo, que resultó ser su marido, y yo le ofrecí «gentilmente» cambiar de asiento. Pero no quisieron aceptarlo; por lo visto los dos querían asientos de pasillo. Eso me molestó más aún. La perspectiva de pasar cinco horas sentado junto a aquella mujer me parecía insoportable.

Al darme cuenta de la intensidad de mi reacción ante una mujer a la que ni siquiera conocía, decidí que tenía que tratarse de una «transferencia» (seguramente me recordaba, subconscientemente, a alguien de mi infancia), un viejo sentimiento de odio no resuelto hacia mi madre u otra mujer. Me estrujé el cerebro, pero aquella mujer no me recordaba a nadie de mi pasado.

Se me ocurrió pensar entonces que era una excelente oportunidad para practicar el desarrollo de la paciencia. Así pues, imaginé a mi vecina como una querida benefactora, situada a mi lado para enseñarme paciencia y tolerancia. Al cabo de unos veinte minutos de esfuerzos imaginativos, abandoné el intento. ¡La mujer seguía fastidiándome! Me resigné a continuar irritado durante todo el resto del vuelo. Mohíno, miré una de sus manos, con la que se aferraba furtivamente al brazo de su butaca. Detestaba todo lo que tuviera que ver con esa mujer. Miraba con expresión ausente la uña de su pulgar cuando de repente me pregunté: ¿odio acaso esa uña? No, en realidad no. Era una uña corriente, sin ninguna característica peculiar. A continuación, fijé la mirada en uno de sus ojos y me pregunté: ¿odio realmente ese ojo? Sí, lo odio (y sin ninguna buena razón, que es la forma más pura del odio). Miré más atentamente. ¿Odio esa pupila? No. ¿Odio esa córnea, ese iris, esa esclerótica? No, de modo que ¿odio realmente ese ojo? Tuve que admitir que no lo odiaba. Tuve la impresión de que estaba haciendo progresos. Pasé a uno de los nudillos, a un dedo, a la mandíbula, a un codo. Con sorpresa, me di cuenta de que había partes de esa mujer que no odiaba. Al centrar la atención en los detalles, en lo concreto, en lugar de la imagen global, permitía que se produjera un cambio interno sutil, un ablandamiento. Este cambio de perspectiva producía un desgarro en mi prejuicio, lo bastante amplio como para percibir la humanidad básica de la mujer. Mientras me percataba de todo esto, ella se volvió hacia mí e inició una conversación. No recuerdo de qué hablamos, algo superficial, pero mi cólera había desaparecido cuando terminó el vuelo. Aquella mujer, por supuesto, no se había transformado en la mejor de mis amigas, pero tampoco era ya la maldita usurpadora de mi asiento junto al pasillo; simplemente un humano como yo, que llevaba su vida lo mejor que podía.

## Una mente flexible

La capacidad para cambiar de perspectiva, para ver los problemas «desde ángulos diferentes», guarda relación con la flexibilidad de la mente. El beneficio fundamental de esta flexibilidad es que nos permite abarcar toda la existencia, sentirnos plenamente vivos, experimentar toda la dimensión de nuestra humanidad. Una tarde, después de una larga jornada de charlas en Tucson, cuando el Dalai Lama regresaba andando a su hotel, un banco de nubes de color magenta se extendió sobre el cielo, absorbiendo la luz de últimas horas de la tarde y realzando el relieve de las montañas Catalina, convirtiendo el paisaje en una sinfonía de matices purpúreos. El aire era cálido, cargado con la fragancia de las plantas del desierto, de la salvia, y lleno de humedad; una inquieta brisa prometía tormenta. El Dalai Lama se detuvo. Durante unos momentos, contempló en silencio el horizonte, y finalmente hizo un comentario sobre la belleza del paisaje. Siguió caminando pero, tras unos pasos, se detuvo de nuevo, se inclinó para examinar un diminuto ramillete de espliego. Lo tocó con suavidad, observó su delicada forma y se preguntó en voz alta cuál sería el nombre de aquella planta. Me sentí impresionado por la agilidad de su mente. Pareció pasar del paisaje a la pequeña planta con una percepción simultánea de la totalidad y de los detalles, con una asombrosa capacidad para abarcar todas las facetas del espectro de la vida.

Todos podemos desarrollar esa misma flexibilidad mental. Surge, al menos en parte, de nuestros esfuerzos por extender nuestra perspectiva y probar nuevos puntos de vista. El resultado es la conciencia simultánea del macrocosmos y el microcosmos, que nos ayuda a separar lo que es importante de aquello que no lo es.

En mi caso, necesité la suave presión del Dalai Lama, durante el transcurso de nuestras conversaciones, para salir de mi limitada perspectiva. Tanto por naturaleza como por formación, siempre he tenido tendencia a abordar los problemas desde el punto de vista de la dinámica individual, con sus procesos psicológicos. Las perspectivas sociológicas o políticas nunca han tenido mucho interés para mí. Durante una conversación con el Dalai Lama, hablamos sobre la ampliación y multiplicación de las perspectivas. Como había tomado varias tazas de café, mi conversación era muy animada y hablé de la capacidad para cambiar de perspectiva como un proceso interno, como una búsqueda individual, basada exclusivamente en la decisión consciente del individuo de adoptar un punto de vista diferente.

El Dalai Lama finalmente me interrumpió y me recordó:

—Adoptar una perspectiva más amplia supone trabajar solidariamente con otras personas. Cuando se producen catástrofes gigantescas, medioambientales o económicas, por ejemplo, se necesita un esfuerzo coordinado de mucha gente, con un sentido de la responsabilidad y del compromiso globales, no meramente individuales.

Me sentí molesto por el hecho de que él introdujera el mundo cuando yo trataba de concentrarme en el individuo.

—Pero esta misma semana —insistí—, en nuestras conversaciones y en sus charlas ante el público, ha hablado mucho sobre la importancia del cambio personal desde dentro, de la transformación interna. Ha hablado, por ejemplo, de la importancia de desarrollar compasión, de superar la cólera y el odio, de cultivar la paciencia y la tolerancia...

—Sí. Naturalmente, el cambio debe proceder de dentro del individuo. Pero cuando se buscan soluciones a los problemas globales, se necesita abordar esos problemas desde los puntos de vista del individuo y del conjunto de la sociedad. Ser flexible, tener una perspectiva más amplia, exige capacidad para abordar los problemas desde varios niveles: el individual, el de la comunidad y el global.

»En la charla que di en la universidad la otra tarde hablé sobre la necesidad de reducir la cólera y el odio mediante el cultivo de la paciencia y la tolerancia. Reducir el odio al mínimo es como un desarme interno. Pero, como también señalé, el desarme interno tiene que producirse al mismo tiempo que el desarme externo. Y esto es muy importante. Afortunadamente, después del derrumbe del imperio soviético y al menos por el momento, no hay amenazas de holocaustos nucleares. Por ello creo que es un buen momento y que no deberíamos desaprovechar esta oportunidad. Es ahora cuando deberíamos fortalecer la paz. La verdadera paz, no sólo la simple ausencia de guerra. Porque una simple ausencia de guerra no es una verdadera paz mundial. La paz tiene que basarse en la confianza mutua. Y puesto que las armas constituyen el mayor obstáculo para el desarrollo de la confianza mutua, creo que ha llegado el momento de pensar cómo podríamos librarnos de ellas. Es muy importante. Claro que no se puede conseguir de la noche a la mañana. Lo más realista sería avanzar paso a paso. Pero, en todo caso, deberíamos tener muy claro cuál es nuestro objetivo final: que todo el mundo quede desmilitarizado. Por tanto debemos trabajar para desarrollar paz interior y al mismo tiempo trabajar por el desarme externo y la paz tanto como podamos. Ésa es nuestra responsabilidad.

## La importancia del pensamiento flexible

Hay una relación estrecha entre una mente flexible y la capacidad para cambiar de perspectiva. La mente flexible nos ayuda a abordar nuestros problemas desde varias perspectivas; por tanto, tratar de examinar los problemas con objetividad multiplicando las perspectivas puede considerarse una manera de formar la mente en la flexibilidad. En el mundo actual, el intento de desarrollar un pensamiento flexible no es un simple ejercicio para intelectuales ociosos, sino una cuestión de supervivencia. Desde un punto de vista evolutivo, son las especies más flexibles las que se han adaptado mejor a los cambios ambientales, las que han sobrevivido y prosperado. Hoy en día, la vida se caracteriza por el cambio repentino, inesperado y, en ocasiones, violento. Una mente flexible puede ayudar a reconciliarnos con los cambios externos, y también a amortiguar nuestros conflictos internos, inconsistencias y ambivalencias. Si no cultivamos una mente adaptable, nuestra mirada se enturbia y nuestra relación con el mundo se guía por el temor. Al adoptar un enfoque flexible y dúctil ante la vida podemos mantener nuestra compostura incluso en las situaciones más turbulentas. Es gracias a nuestros esfuerzos por alcanzar una mente flexible como podemos reforzar la capacidad de resistencia del espíritu humano.

A medida que iba conociendo al Dalai Lama, más me asombraba ante su flexibilidad, su capacidad para adoptar numerosos puntos de vista. Cabría esperar que en su condición de jefe religioso se erigiera en defensor de la fe, así que le pregunté:

—¿Se ha considerado alguna vez demasiado rígido, demasiado estrecho de miras?

—Hmm... —murmuró reflexivo durante un momento, antes de contestar con decisión—: No, no lo creo. De hecho, sucede precisamente lo contrario. En ocasiones soy tan flexible que se me acusa incluso de no seguir una línea coherente. —Se echó a reír sonoramente—. Alguien se me acerca y me presenta determinada idea; examino las razones que aduce y exclamo: «¡Eso es magnífico!». Después se me acerca otra persona con un punto de vista opuesto y también encuentro acertadas sus razones. Me han criticado por eso; me recuerdan: «Nos hemos comprometido a seguir este camino, así que, por el momento, sigámoslo».

Si tuviéramos que juzgarlo sólo por esta declaración, podríamos creer que el Dalai Lama es indeciso, sin principios que lo guíen. En realidad, nada más alejado de la verdad. El Dalai Lama tiene unas convicciones básicas que guían todas sus acciones: la bondad fundamental de todos los seres humanos, el valor de la compasión, la benevolencia y la generosidad, atributos comunes a todas las criaturas vivas.

—Al hablar de la importancia de ser flexible, dúctil y adaptable no pretendo sugerir que seamos como camaleones, y que absorbamos cualquier nuevo sistema de creencias con el que nos encontremos, que cambiemos de identidad, que adoptemos pasivamente cualquier idea. Las fases superiores del crecimiento y el desarrollo dependen del conjunto de valores que nos guían. Un sistema de valores capaz de proporcionar continuidad y coherencia a nuestras vidas, mediante el que podamos medir nuestras experiencias. Un sistema de valores que nos ayude a decidir qué objetivos merecen realmente perseguirse y cuáles son irrelevantes.

La cuestión es: ¿cómo podemos mantener de un modo coherente y firme este conjunto de valores fundamentales y ser flexibles al mismo tiempo? El Dalai Lama parece haberlo conseguido al reducir su sistema de creencias a unas cuantas verdades fundamentales: 1) Soy un ser humano; 2) deseo ser feliz y no quiero sufrir; 3) otros seres humanos como yo también desean ser felices y no quieren sufrir. Al destacar el terreno que comparte con los demás, en lugar de fijarse en las diferencias, genera un sentimiento de unión que conduce a la convicción profunda del valor de la compasión y el altruismo. Utilizando este enfoque, puede ser muy gratificante el simple hecho de dedicar un poco de tiempo a reflexionar sobre nuestro propio sistema de valores y reducirlo a sus principios fundamentales, lo que nos proporcionará mayor libertad y flexibilidad para afrontar los problemas.

## Encontrar el equilibrio

El enfoque flexible de la vida no es sólo un instrumento para abordar conflictos, sino también para alcanzar el estado indispensable para una vida feliz: el equilibrio.

Una mañana, cómodamente instalado en su silla, el Dalai Lama aclaró el valor de llevar una vida equilibrada.

—Asumir equilibradamente la vida, evitando los extremos, es de capital importancia en todos los aspectos de la vida. Por ejemplo, con una planta hay que ser muy habilidoso y delicado cuando se encuentra en sus primeras fases de crecimiento. Demasiada o poca humedad o luz solar la destruirá. Lo que se necesita por tanto es un medio muy equilibrado, para que pueda disfrutar de un crecimiento saludable. Por lo que se refiere a la salud física de una persona, el exceso o la escasez de algunos elementos pueden tener efectos destructivos.

»Esto se aplica también al desarrollo mental y emocional. Si observamos que somos arrogantes, por ejemplo, que nos hinchamos dándonos importancia, basándonos en supuestos o reales logros o cualidades, el antídoto consiste en pensar un poco más en nuestros problemas y padecimientos, en contemplar los aspectos insatisfactorios de la existencia. Eso nos ayuda a rebajar nuestra soberbia y a ponernos más en contacto con la realidad. Por el contrario, si uno se da cuenta de que reflexiona sobre la naturaleza insatisfactoria de la existencia hasta el punto de sentirse abrumado e impotente, es aconsejable reflexionar sobre el progreso que se ha hecho hasta el momento y sobre las cualidades positivas que se posean, lo que nos ayudará a abandonar ese estado mental de desánimo. Es preciso buscar el equilibrio.

»Este enfoque no sólo es útil para la salud física y emocional de la persona, sino también para el desarrollo espiritual. La tradición budista ofrece muchas prácticas para él, pero es muy importante ser muy habilidoso en su ejecución y no excederse. También aquí se necesita un enfoque equilibrado y sagaz, combinar el estudio y el aprendizaje con la contemplación y la meditación. Esto es importante para que no se produzca ningún desequilibrio entre el aprendizaje académico o intelectual y su puesta en práctica. Si no, se correría el riesgo de que una excesiva intelectualización perjudicara las prácticas contemplativas. Pero si pusiéramos un énfasis excesivo en la contemplación, sin que ésta vaya acompañada por el estudio, limitaríamos la comprensión. Así pues, tiene que haber un equilibrio...

Tras una pausa, añadió:

—En otras palabras, la práctica del Dharma, la verdadera práctica espiritual, es en cierto sentido como un estabilizador de voltaje. La función del estabilizador consiste en impedir los altibajos de la potencia eléctrica, que transforma en un flujo estable y constante.

—Aconsejo evitar los extremos —comenté—, pero ¿acaso no son los extremos los que aportan entusiasmo y gusto por la vida? Evitarlos, elegir siempre el «camino medio», ¿no conduce a una existencia blanda e incolora?

Negó con la cabeza antes de contestar.

—Creo que necesita usted comprender el origen del comportamiento extremado. Tomemos, por ejemplo, la obtención de bienes materiales: cobijo, muebles, vestido... Por un lado cabría ver la pobreza como una situación extrema, y tenemos todo el derecho de esforzarnos en superarla y asegurar nuestro bienestar material. Por el otro, demasiados lujos, la búsqueda de una riqueza excesiva. Nuestro objetivo último al buscar más riqueza es la satisfacción, la felicidad. Pero buscar más es no tener suficiente, o sea, tener un sentimiento de descontento, el cual no surge de la presunta utilidad de los objetos que buscamos, sino más bien de nuestro estado mental.

»Creo por tanto que nuestra tendencia a dejarnos llevar hacia los extremos se ve alimentada a menudo por un sentimiento subyacente de descontento. Sin duda también hay otros móviles para la desmesura, pero es importante reconocer que si bien los extremos pueden parecer atractivos o «apasionantes», en el fondo son nocivos. Hay muchos ejemplos sobre los peligros del comportamiento extremado. Imaginemos, por ejemplo, una actividad pesquera intensiva a escala planetaria, sin tener en cuenta las consecuencias a largo plazo, sin sentido de la responsabilidad, con lo que provocamos un agotamiento de los mares... Lo mismo puede suceder con el comportamiento sexual. Existe un impulso biológico para la reproducción y se obtiene satisfacción de la actividad sexual, pero si el comportamiento sexual se hace extremado, sin verdadera responsabilidad, provoca numerosos problemas y abusos..., como el maltrato o el incesto.

—Ha dicho que, además del descontento, puede haber otros motivos para la desmesura...

—Sí, ciertamente.

—¿Puede darme un ejemplo?

—La estrechez de miras.

—La estrechez de miras..., ¿en qué sentido?

—El ejemplo de la pesca excesiva es un caso de estrechez de miras, puesto que sólo se tiene en cuenta lo inmediato. La educación y el conocimiento amplían la perspectiva.

El Dalai Lama tomó su rosario de una mesita y deslizó sus cuentas entre las manos mientras reflexionaba en silencio. De repente, miró el rosario y dijo:

—Creo que la visión limitada conduce al pensamiento extremista. Y eso crea problemas. El Tíbet, por ejemplo, fue una nación budista durante muchos siglos. Naturalmente, eso produjo un sentimiento de que el budismo era la mejor religión, una tendencia a considerar que sería bueno que toda la humanidad se hiciera budista. La idea de que todo el mundo debiera ser budista es un caso de extremismo. Y esa actitud causa problemas. Pero ahora que no estamos en el Tíbet, hemos tenido la oportunidad de entrar en contacto con otras tradiciones religiosas de las que hemos aprendido. Eso nos ha acercado más a la realidad, nos hemos percatado de que en la humanidad hay muchas creencias y actitudes diferentes. Que todo el mundo fuera budista sería muy poco práctico. A través de un contacto más estrecho con otras confesiones se da uno cuenta de las cosas positivas que poseen. Ahora, al encontrarnos con otra religión, surge un sentimiento positivo, un sentimiento de comodidad. Nos parece bien que haya personas que se adhieran a confesiones diferentes. Es como en un restaurante: todos podemos sentarnos y pedir platos diferentes, según nuestras preferencias. Podemos comer platos diferentes sin que nadie discuta por ello.

»Así pues, creo que al ampliar deliberadamente nuestra perspectiva podemos superar los extremismos y sus consecuencias negativas.

Tras esto, el Dalai Lama deslizó el rosario alrededor de la muñeca, me dio una afable palmadita en la mano y se levantó, dando por terminada la entrevista.

*Cuarta parte*

# Superar los obstáculos

# 11

## Encontrar significado en el sufrimiento

VICTOR FRANKL, un psiquiatra judío detenido por los nazis durante la Segunda Guerra Mundial, dijo en cierta ocasión: «El hombre está dispuesto y preparado para soportar cualquier sufrimiento siempre y cuando pueda encontrarle un significado». Frankl utilizó su brutal e inhumana experiencia en los campos de concentración para tratar de comprender cómo pudieron sobrevivir algunos a tantas atrocidades, y determinó que la supervivencia no se apoyaba en la juventud o en la fortaleza física, sino en la fortaleza derivada de hallar un significado a esa experiencia.

Descubrir el significado del sufrimiento constituye una poderosa ayuda para afrontar las situaciones, incluso las más difíciles. Pero no resulta tarea fácil encontrar significado en nuestro sufrimiento. A menudo, el sufrimiento parece fortuito, sin significado. Y, aunque nos encontramos en medio de nuestro dolor y sufrimiento, toda nuestra energía se centra en alejarnos del mismo. Durante los períodos de crisis aguda parece imposible reflexionar sobre cualquier significado que pueda esconder nuestro sufrimiento. A menudo, lo único que podemos hacer es soportarlo. Y es natural considerarlo una injusticia y preguntarnos: «¿Por qué a mí?». Afortunadamente, sin embargo, en los momentos de alivio o en los períodos posteriores a experiencias de sufrimiento agudo, podemos reflexionar sobre él y buscar su significado. El tiempo y el esfuerzo dedicados a buscar significado al sufrimiento aportará muchos beneficios cuando ocurran las desgracias. Pero para ello tenemos que iniciar nuestra búsqueda cuando las cosas nos van bien. Un árbol con raíces fuertes puede resistir la tormenta más violenta, pero no puede desarrollar sus raíces cuando la tormenta aparece ya en el horizonte.

Así pues, ¿por dónde empezar nuestra búsqueda del significado del sufrimiento? Para muchas personas, esa búsqueda se inicia con su fe religiosa. Aunque las religiones difieren sobre el significado que dan al sufrimiento, todas ofrecen estrategias para responder a él, basadas en sus creencias fundamentales. Para el budismo y el hinduismo, por ejemplo, es el resultado de nuestras acciones negativas y se le considera un catalizador para la búsqueda de la liberación espiritual.

En la tradición judeocristiana, el universo fue creado por un Dios bueno y justo y aunque su plan sea misterioso e indescifrable a veces, nuestra fe y confianza en sus designios nos permiten tolerar más fácilmente nuestro sufrimiento, confiar, como dice el Talmud, en que «todo lo que hace Dios, lo hace para bien». La vida seguirá siendo sin duda dolorosa, pero como el dolor que experimenta la mujer al dar a luz, confiamos en que será superado por el bien que trae. El reto en estas confesiones religiosas estriba en que, con frecuencia, no se nos revela el bien último. No obstante, aquellos que tienen una fe firme se ven apoyados por la convicción de que en el sufrimiento se expresa un propósito divino, como aconseja un sabio hasídico: «Cuando un hombre sufre, no debería decir: "¡Esto es muy malo!", ya que nada de lo que Dios le impone al hombre es malo. Pero es correcto exclamar: "¡Esto es amargo!", pues entre las medicinas hay algunas que están hechas con hierbas amargas». Así pues, desde una perspectiva judeocristiana, el sufrimiento puede servir para muchos propósitos: ponernos a prueba y fortalecer nuestra fe, acercarnos íntimamente a Dios debilitar los lazos con el mundo material e inducirnos a acudir a Dios como nuestro refugio.

Aunque la fe puede ofrecer una valiosa ayuda para encontrar significado, aquellos que no poseen creencias religiosas también pueden encontrarlo en su sufrimiento después de una cuidadosa reflexión. A pesar del universal rechazo del sufrimiento, caben pocas dudas de que fortalece y ahonda la comprensión de la vida. En cierta ocasión, el doctor Martin Luther King, Jr., dijo: «Aquello que no me destruye, me hace más fuerte». Y aunque es natural encogerse ante el sufrimiento, éste puede contribuir a sacar lo mejor de nosotros. En *El tercer hombre*, de Graham Greene, se lee: «Los treinta años bajo los Borgia trajeron a Italia guerras, terror, asesinatos, pero también a Miguel Ángel, a Leonardo da Vinci, el Renacimiento. Suiza, donde predominaba el amor fraternal, ¿qué ha producido durante quinientos años de democracia y paz? El reloj de cuco».

Aunque el sufrimiento sirva a veces para endurecernos, para fortalecernos, en otras ocasiones llega a ser valioso por lo contrario, por ablandarnos, haciéndonos más sensibles. La vulnerabilidad que experimentamos en nuestro sufrimiento suele producir una apertura y profundiza nuestra conexión con los demás. El poeta William Wordsworth exclamó: «Una profunda angustia ha humanizado mi alma». Al ilustrar este efecto humanizador del sufrimiento, se me ocurre pensar en Robert, un conocido mío. Era presidente ejecutivo de una gran empresa de mucho éxito. Varios años antes había sufrido un grave revés financiero que le provocó una profunda depresión. Nos conocimos cuando se encontraba sumido en lo más profundo de ella. Siempre había considerado a Robert un modelo de confianza en sí mismo y de entusiasmo, y me alarmé al verlo tan abatido. Con una intensa angustia en la voz, Robert me dijo:

—Esto es lo peor que he experimentado en toda mi vida. No puedo sacármelo de encima. No sabía que fuera posible sentirse tan abrumado, desesperanzado e impotente.

Después de conversar un rato sobre sus dificultades, le aconsejé que acudiera a un colega para tratar la depresión.

Varias semanas más tarde me encontré con Karen, la esposa de Robert, y le pregunté cómo estaba su marido.

—Ha mejorado mucho. El psiquiatra que le recomendaste le recetó una medicación antidepresiva que ha ayudado mucho. Claro que todavía tardaremos un tiempo en solucionar todos los problemas con el negocio pero ahora se siente mejor y creo que todo marchará bien...

—Me alegro.

Karen vaciló un momento antes de confiarme algo.

—¿Sabes? Me apenaba mucho verlo tan deprimido. Pero, en cierto modo, creo que eso ha sido una bendición. Una noche, empezó a llorar desconsoladamente. Era incapaz de detenerse. Lo tuve entre mis brazos durante horas, mientras él lloraba, hasta que finalmente se quedó dormido. En veintitrés años de matrimonio fue la primera vez que sucedió algo semejante... si quieres que te sea honrada, nunca me había sentido tan cerca de él en toda mi vida de casada. Ahora, las cosas son de algún modo diferentes. Como si algo se hubiera roto y abierto... y ese sentimiento de proximidad sigue estando ahí. El hecho de que compartiera su dolor, cambió nuestra relación, nos acercó.

El Dalai Lama ha hablado sobre la utilización del sufrimiento en el camino budista.

—En la práctica budista se puede utilizar el sufrimiento personal para intensificar la compasión, como una oportunidad para el *Tonglen*. Se trata de una práctica Mahayana en la que se asume mentalmente el dolor y el sufrimiento de otro, ofreciéndole todos tus recursos, buena salud, fortuna, etcétera. Más adelante daré instrucciones detalladas sobre esta práctica, fundada en este pensamiento: «Que mi sufrimiento sea un sustituto del sufrimiento de otros seres. Que este sufrimiento pueda salvar a todos los seres que experimentan un dolor similar». De ese modo, se utiliza el sufrimiento como una oportunidad para asumir el sufrimiento de los otros.

»Aquí debería señalar una cosa. Si, por ejemplo, caigo enfermo y empleo esta técnica, pensando: "Que mi enfermedad libere a otros de una enfermedad similar", y me visualizo aceptando el sufrimiento ajeno y transmitiendo buena salud, no pretendo decir con ello que haya de olvidarme de mi propia salud. Al pensar en la enfermedad, lo primero que hay que hacer es tomar medidas para no sufrir a causa de ella. Luego, si a pesar de todo se cae enfermo, es importante no pasar por alto la necesidad de tomar los medicamentos apropiados.

»No obstante, una vez que se ha enfermado, prácticas como la del *Tong-len* suponen una diferencia significativa en la actitud con que se afronta la situación. En lugar de lamentarse, de sentir pena por uno mismo y de verse abrumado por la ansiedad y la preocupación, puede uno salvarse del sufrimiento mental adicional al adoptar la actitud correcta. Practicar la meditación *Tong-len*, o «dar y recibir», quizá no consiga aliviar el dolor físico o conducir a una cura en términos físicos, pero nos protege de un dolor psicológico innecesario. Se puede pensar: "Que al experimentar este sufrimiento pueda salvar a otros que pasen por la misma experiencia"; entonces el propio sufrimiento adquiere un nuevo significado, al ser utilizado como el fundamento de una práctica religiosa o espiritual. Además es posible llegar a ver la situación como un privilegio, como una oportunidad de enriquecimiento.

—Ha dicho que el sufrimiento puede utilizarse en la práctica del *Tong-len*. Antes ha señalado que la contemplación de la naturaleza del sufrimiento puede ser muy útil para no abrumarnos cuando lo padezcamos, en el sentido de desarrollar una mayor aceptación del sufrimiento como inherente a la vida...

—Ciertamente.

—¿Hay otras formas de ver nuestro sufrimiento como algo significativo, o al menos con un valor práctico?

—Sí, desde luego —contestó—. Creo que antes subrayé que en el camino budista reflexionar sobre el sufrimiento tiene una tremenda importancia porque al aprehender su naturaleza desarrollamos una mayor resolución de eliminar tanto las causas que lo producen como los actos insanos que conducen al mismo. Eso aumentará a su vez el entusiasmo por las acciones sanas que conducen a la felicidad y la alegría.

—¿Y ve algún beneficio en que los no budistas reflexionen sobre el sufrimiento?

—Sí, creo que puede tener valor práctico en algunas situaciones. Por ejemplo, reflexionar sobre el sufrimiento contribuye a reducir la arrogancia. Claro que eso quizá no se perciba como un beneficio —señaló echándose a reír— por alguien que no considere la arrogancia o el orgullo como un defecto.

Tras un momento de silencio, el Dalai Lama añadió:

—En cualquier caso, creo que hay un aspecto de nuestra experiencia del sufrimiento que es de vital importancia: nos ayuda a desarrollar empatía, lo que nos permite acercarnos a los sentimientos y el sufrimiento de los demás, aumenta nuestra capacidad para la compasión, y nos ayuda por tanto a conectar con los demás. En ese sentido, se puede considerar que tiene un valor. Así pues —concluyó—, es probable que cambiemos de actitud y nuestro sufrimiento ya no nos parezca tan terrible.

## Cómo afrontar el dolor físico

Al reflexionar sobre el sufrimiento durante los momentos de bienestar, descubrimos a menudo un valor y un significado profundo en él. En ocasiones, sin embargo, nos vemos enfrentados a padecimientos que no parecen tener ninguna cualidad redentora. El dolor físico pertenece a esa categoría. Pero hay una diferencia entre el dolor físico, que es un proceso fisiológico, y el sufrimiento, que es nuestra respuesta mental y emocional al mismo. Así pues, se nos plantea la pregunta: ¿podemos encontrar una finalidad detrás de nuestro dolor, capaz de modificar nuestra actitud hacia el mismo? Y si cambiamos de actitud, ¿disminuiría el grado de sufrimiento?

En su libro *Dolor: el don que nadie quiere*, el doctor Paul Brand explora el valor del dolor físico. Brand, un cirujano de prestigio mundial y especialista en lepra, pasó los primeros años de su vida en la India, donde, como hijo de misioneros, se vio rodeado de personas que vivían en condiciones de extremada pobreza y sufrimiento. Al observar en ellos una mayor tolerancia al dolor físico que en Occidente, se interesó por el fenómeno del dolor y efectuó un notable descubrimiento: la putrefacción de la carne se debía a la pérdida de la sensación de dolor en las extremidades. Al no contar con la protección del dolor, los pacientes de lepra no disponían de un sistema que les advirtiera del daño en los tejidos. El doctor Brand vio a pacientes que caminaban o corrían sobre extremidades cuya piel estaba desgarrada o incluso con los huesos al descubierto, lo que causaba su rápida destrucción. A veces incluso introducían la mano en el fuego para retirar algo sin sentir dolor. Observó también en ellos una actitud de lo más indiferente hacia la autodestrucción. En su libro, Brand presenta muchos ejemplos de los efectos destructivos de vivir sin sensación de dolor, las heridas recurrentes, las ratas que roían los dedos de manos y pies mientras el paciente dormía tranquilamente.

Después de una larga experiencia con pacientes que sufrían dolores agudos y con otros insensibles, Brand llegó a considerar el dolor no como el enemigo que es en Occidente, sino como un sistema biológico complejo que nos advierte para protegernos. Pero ¿por qué entonces la experiencia del dolor tiene que ser tan desagradable? Brand afirma que precisamente en eso reside su efectividad, pues obliga al organismo a afrontar el problema. Aunque el cuerpo cuenta con movimientos reflejos de protección, es la sensación de dolor la que impulsa a todo el organismo a prestar atención y actuar. También graba la experiencia en la memoria y nos sirve para protegernos en el futuro.

Así como encontrar significado a nuestro sufrimiento nos ayuda a afrontar los problemas, para Brand la comprensión de la finalidad del dolor físico contribuye a disminuir el sufrimiento. Si nos preparamos para el dolor, si comprendemos su naturaleza y reflexionamos sobre lo que sería la vida sin esa sensación, invertiremos en lo que Brand llama un «seguro para el dolor». No obstante, y como quiera que el dolor agudo es capaz de acabar con toda objetividad, tenemos que reflexionar sobre él antes de que aparezca. Si somos capaces de pensar en el dolor como «un discurso que pronuncia nuestro cuerpo sobre un tema de importancia vital, de una intensidad tal que llama inevitablemente nuestra atención», entonces empezará a cambiar nuestra actitud, y en consecuencia disminuirá nuestro sufrimiento. «Estoy convencido —afirma Brand— de que la actitud que hayamos cultivado puede determinar el grado de sufrimiento cuando el dolor nos llegue.» Incluso cree que podemos desarrollar un sentimiento de gratitud ante el dolor.

No cabe la menor duda de que nuestra actitud y perspectiva mentales determinan el grado de sufrimiento. Supongamos que dos individuos, un trabajador de la construcción y un pianista, sufren la misma herida en un dedo. Aunque el dolor sea el mismo para ambos, el obrero de la construcción sufre menos y hasta se alegra si la herida le procura ese mes de vacaciones pagadas que tanto necesitaba, mientras que esa misma lesión causa un intenso sufrimiento en el otro al impedirle tocar el piano, fuente fundamental de alegría en su vida.

Esto ha sido demostrado por numerosos estudios y experimentos científicos. Los investigadores han explorado las vías mediante las que se percibe el dolor: se inicia con una señal sensorial, una alarma que se dispara en cuanto las terminaciones nerviosas son estimuladas. Millones de señales viajan por la médula espinal hasta la base del cerebro, que las clasifica y envía un mensaje a las zonas superiores, donde se elabora una respuesta. Es en esta fase en la que se le asigna valor al dolor; es decir, es en la mente donde convertimos el dolor en sufrimiento. Para disminuir éste, tenemos que efectuar una distinción entre el dolor que percibimos y el que creamos mediante nuestros pensamientos. El temor, la cólera, la culpabilidad, la soledad y la impotencia son respuestas capaces de intensificar el dolor. Así que, al afrontar el dolor, debemos trabajar en los niveles más bajos de percepción del mismo, utilizar las herramientas de la medicina moderna, como los medicamentos por ejemplo, pero también podemos trabajar en los niveles superiores mediante la modificación de nuestra perspectiva y nuestra actitud.

Muchos investigadores han examinado el papel de la mente en la percepción del dolor. Pavlov entrenó incluso a perros para que superaran el dolor al asociar una descarga eléctrica con una recompensa en forma de alimento. Ronald Melzak fue más lejos. Crió cachorros de terrier escocés en un ambiente protegido, sin los problemas propios del crecimiento. Estos perros no consiguieron aprender las respuestas básicas al dolor; no reaccionaban, por ejemplo, cuando se les pinchaba las patas con un alfiler, en contraposición con sus compañeros de camada, que gañían de dolor cuando se los pinchaba. Sobre la base de experimentos como éstos, Melzak llegó a la conclusión de que buena parte de lo que llamamos dolor, incluida la respuesta emocional de displacer, era algo aprendido, no instintivo. Otros experimentos realizados con seres humanos, en los que se aplicó la hipnosis y se utilizaron placebos, han demostrado también que, en muchos casos, las funciones superiores del cerebro pueden aceptar o descartar las señales de dolor que reciben. Esto indica que la mente puede determinar a menudo cómo percibimos el dolor y ayuda a explicar los interesantes descubrimientos de investigadores como Richard Sternback y Bernard Tursky, de la Escuela de Medicina de Harvard (más tarde confirmados por un estudio de Maryann Bates y colaboradores), quienes observaron diferencias significativas entre los diferentes grupos étnicos en cuanto a capacidad para percibir y resistir el dolor.

Parece, por tanto, que la afirmación de que nuestra actitud puede influir en el grado de sufrimiento no es una especulación, sino que está apoyada en pruebas científicas. En sus investigaciones, Brand hace otra observación fundamental. Sus pacientes de lepra declaran: «Claro que puedo verme las manos y los pies, pero no los percibo como si fueran parte de mí. Es como si fueran simples herramientas». Así pues, el dolor no sólo nos advierte y nos protege, sino que unifica

183

nuestro cuerpo. Sin la sensación de dolor en manos o pies, estos miembros parecen no pertenecer a él.

Y así como el dolor físico unifica nuestro cuerpo, la experiencia general del sufrimiento nos conecta a los demás. Quizá sea ése el significado principal del sufrimiento, una condición que compartimos con los demás, que une a todas las criaturas vivas.

Concluimos nuestro análisis del sufrimiento humano con la enseñanza por parte del Dalai Lama de la práctica del *Tong-len*, a la que se refirió en nuestra conversación anterior. Según explicaría él mismo, el propósito de esta meditación es fortalecer la compasión. Pero también podemos verla como una potente herramienta para transmutar nuestro sufrimiento. Podemos utilizar estas prácticas para aumentar nuestra compasión, al visualizar a otros que pasan por un sufrimiento similar, al absorber y disolver su sufrimiento en el propio, como un sufrimiento por delegación.

El Dalai Lama impartió esta enseñanza ante un numeroso público en una tarde particularmente calurosa de septiembre, en Tucson. El aire acondicionado del local, que luchaba contra la alta temperatura del desierto, se vio finalmente superado por el calor generado por mil seiscientos cuerpos. El calor reinante fue particularmente apropiado para una meditación sobre el sufrimiento.

*La práctica del* Tong-len

—Esta tarde meditaremos sobre el *Tong-len*, el «dar y recibir». Esta práctica está destinada a entrenar la mente, a fortalecer el poder natural y la fuerza de la compasión, porque la meditación *Tong-len* ayuda a contrarrestar nuestro egoísmo. Aumenta el poder y la fortaleza de nuestra mente al intensificar nuestra capacidad para abrirnos al sufrimiento de otros.

»Para empezar este ejercicio primero hay que visualizar a nuestro lado a un grupo de personas que necesitan ayuda, sumidas en el sufrimiento y en un estado de extrema pobreza. Visualicen a este grupo de personas con claridad. Luego, al lado de ellas, visualícense a sí mismos como egocéntricos, con una arraigada actitud egoísta, indiferentes a las necesidades de los demás. Entre este grupo de personas que sufren y esta representación egoísta de sí mismos, véanse en el centro, como un observador neutral.

»A continuación, observen hacia cuál de los dos lados se inclinan ustedes de modo natural. ¿Se inclinan más hacia ese individuo singular, la personificación del egoísmo? ¿O sus sentimientos naturales de empatía fluyen hacia el grupo de personas necesitadas? Si piensan con objetividad, concluirán que el bienestar de un grupo es más importante que el de un individuo.

»Después, dirijan su atención a las personas necesitadas y desesperadas. Dirijan toda su energía positiva hacia ellas. Ofrézcanles mentalmente sus éxitos, sus recursos, sus virtudes. Una vez hecho eso, asuman el sufrimiento de esas personas, sus problemas y todas sus dificultades.

»Se puede imaginar, por ejemplo, a un niño hambriento de Somalia. En este caso, el profundo sentimiento de empatía no se basa en consideraciones como "Es mi pariente" o "Es mi amigo". Ni siquiera conoce usted a esa persona. Pero el hecho de que usted y el otro sean seres humanos permite que surja su capacidad natural para la empatía y que pueda usted abrirse al otro. Piense entonces: "Este niño no tiene capacidad para aliviar su infortunio". Entonces, mentalmente, asuma sobre sí mismo todo el sufrimiento de la pobreza, el hambre y la privación de este niño y ofrézcale mentalmente sus posesiones, riqueza y éxitos. Así puede entrenar su mente, mediante esta clase de visualización de "dar y recibir".

»A veces resulta útil empezar esta práctica imaginándose en el futuro como una persona que sufre y, con una actitud de compasión, asumir ese sufrimiento en el presente, con el sincero deseo de liberarse de todo sufrimiento futuro. Una vez haya adquirido algo de práctica para generar un estado mental de compasión hacia sí mismo, puede ampliar su compasión para incluir a los demás.

»Al "asumir sobre sí", es útil visualizar los infortunios bajo aspecto de sustancias venenosas, armas peligrosas o animales terroríficos, cosas ante las que normalmente se estremecería. Visualice el sufrimiento como si hubiera adquirido estas formas y luego absórbalas directamente en su corazón.

»El propósito de visualizar estas formas negativas y aterradoras, que se disuelven en nuestros corazones, es el de destruir las habituales actitudes egoístas que residen en ellos. No obstante, para aquellas personas que puedan tener problemas con su imagen, con un bajo nivel de autoestima, es importante considerar si esta práctica es apropiada.

»El *Tong-len* es muy poderoso si se combina el "dar y recibir" con la respiración; es decir, imaginen "recibir" en el momento de inspirar y "dar" en el momento de espirar. Durante estas visualizaciones, probablemente experimentarán una ligera incomodidad. Eso indica que se ha alcanzado el objetivo: la actitud egocéntrica. Y ahora, meditemos.

Al terminar la enseñanza del *Tong-len*, el Dalai Lama señaló que ningún ejercicio en particular es atractivo o apropiado para todo el mundo. En nuestro viaje espiritual, es importante decidir si una práctica es adecuada para nosotros después de comprender su esencia. Eso fue lo que me sucedió a mí cuando intenté seguir las instrucciones del Dalai Lama sobre el *Tong-len* aquella misma tarde. Descubrí que tenía dificultades, un sentimiento de resistencia, aunque no logré descubrir de qué se trataba. La misma noche, sin embargo, al pensar en las instrucciones del Dalai Lama, me di cuenta de que mi resistencia se había desarrollado ya desde el principio, cuando el Dalai Lama señaló que el grupo era más importante que el individuo. Se trataba de algo que ya había escuchado con anterioridad; el axioma de Vulcan propuesto por Spock en *Star Trek*: las necesidades de la mayoría deben anteponerse a las de la minoría. En esa afirmación había sin embargo algo que me molestaba. Antes de planteárselo al Dalai Lama, sondeé a un amigo que había estudiado el budismo durante mucho tiempo, quizá porque yo no deseaba aparecer como el que «sólo quiere ser el número uno».

—Hay una cosa que me molesta... —le dije—. Eso de que las necesidades del grupo son más importantes que las del individuo tiene sentido en la teoría, pero en la vida cotidiana no interactuamos con la gente en masa, sino con individuos. En ese nivel de uno a uno, ¿por qué deberían valer más las necesidades del otro que las mías? Yo también soy un individuo... Somos iguales...

Mi amigo quedó pensativo un momento.

—Bueno, eso que dices es cierto. Pero si realmente consideras a cualquier individuo como un igual, ya es suficiente para empezar.

No necesité acudir al Dalai Lama.

# 12

## Producir un cambio

### El proceso de cambio

—Hemos analizado la posibilidad de alcanzar la felicidad eliminando nuestros comportamientos y estados mentales negativos. En general, ¿cómo se consigue superar los comportamientos negativos e introducir cambios positivos? —pregunté.

—El primer paso es el aprendizaje, la educación —contestó el Dalai Lama—. Creo que ya he mencionado con anterioridad la importancia del aprendizaje...

—¿Cuando habló de la importancia de comprender por qué son nocivas las emociones negativas?

—Sí. Pero para producir cambios positivos, el aprendizaje sólo es el primer paso. También hay otros factores, como la convicción, la determinación, la acción y el esfuerzo. Así pues, el siguiente paso consiste en desarrollar nuestra convicción. El aprendizaje y la educación son importantes porque nos ayudan a desarrollar el convencimiento de que necesitamos cambiar, y aumentan nuestro compromiso. Y la convicción ha de cultivarse para convertirla en determinación. A continuación, la determinación se transforma en acción; una determinación firme nos permite realizar un esfuerzo continuado para poner en marcha los verdaderos cambios. Este factor es decisivo.

»Así, por ejemplo, si se quiere dejar de fumar, lo primero es ser consciente de que fumar es nocivo para el cuerpo. Por tanto, tienes que educarte. Tengo entendido, por ejemplo, que la información sobre los efectos nocivos del tabaco ha permitido modificar el comportamiento de mucha gente; ahora se fuma menos en los países occidentales que en un país comunista como China, debido precisamente a la disponibilidad de información. Pero, a menudo, ese aprendizaje por sí solo no es suficiente. Tienes que incrementar esa conciencia hasta que te lleve a una firme convicción sobre los efectos nocivos del tabaco. Eso fortalece a su vez tu determinación de cambiar. Finalmente, tienes que realizar un esfuerzo para establecer nuevos hábitos. Ése es el proceso de cambio, cualquiera que sea su objetivo.

»Ahora bien, al margen del comportamiento que intentes cambiar, del objetivo hacia el que dirijas tus esfuerzos, necesitas desarrollar una fuerte voluntad o deseo de hacerlo. Necesitas gran entusiasmo. En este aspecto el sentido de la urgencia es un factor clave que ayuda a superar los problemas. Por ejemplo, el conocimiento que se posee sobre los graves efectos del sida ha creado en muchas personas la necesidad perentoria de modificar el comportamiento sexual. Con frecuencia, una vez que se ha obtenido la información adecuada, surge la seriedad y el compromiso.

»Así pues, la urgencia puede impulsar enérgicamente el cambio. En un movimiento político, la desesperación puede originarla hasta el punto de que la gente llega a olvidar incluso su hambre y su cansancio en la busca de sus objetivos.

»El sentido de lo perentorio no sólo ayuda a superar los problemas personales, sino también los comunitarios. Cuando estuve en St. Louis, por ejemplo, hablé con el gobernador. Allí habían sufrido recientemente unas graves inundaciones. El gobernador me dijo que cuando se produjeron temió que, dada la naturaleza individualista de la sociedad, la gente no cooperara, no se comprometiera.

»Pero hubo tanta cooperación que quedó muy impresionado. Para mí, eso demuestra que para alcanzar objetivos importantes necesitamos desarrollar el sentido de lo perentorio. "Desgraciadamente —añadió con tristeza—, sucede a menudo que no percibimos que una situación requiere una solución con urgencia."

Me sorprendió oírle subrayar esto porque en Occidente creemos que una actitud característica de los asiáticos es dejar que las cosas sigan su curso, derivada de su creencia de que se viven muchas vidas, de modo que si algo no sucede ahora, ya sucederá la próxima vez...

—Pero ¿cómo se desarrolla en la vida cotidiana ese entusiasmo y esa decisión de cambiar? —pregunté.

—Para un budista practicante hay varias técnicas para generar entusiasmo. Buda habló sobre lo preciosa que es la existencia humana. Nosotros discutimos acerca del potencial que hay dentro de nuestro cuerpo, de los buenos propósitos a los que puede servir, de los beneficios y ventajas de tener una forma humana, etcétera. Esas discusiones nos instilan confianza, nos incitan a utilizar nuestro cuerpo de forma positiva.

»Después, para dar conciencia de la urgencia, que impulse a prácticas espirituales, recordamos nuestra transitoriedad, es decir, la muerte, interpretada en términos muy convencionales y no en los aspectos más sutiles del concepto de transitoriedad. En otras palabras, se nos recuerda que algún día ya no estaremos aquí. Se estimula esa conciencia, de modo que cuando se conjunta con la comprensión del enorme potencial de nuestra existencia surge en nosotros la urgente necesidad de utilizar provechosamente todos los preciosos momentos de nuestra vida.

—Esa contemplación de nuestra transitoriedad parece una gran ayuda para desarrollar la urgencia de cambios positivos —comenté—. ¿No podrían utilizarla también los no budistas?

—Creo que los no budistas deberían tener cuidado con algunas técnicas —contestó reflexivamente—. Porque —añadió echándose a reír— cabría utilizar la misma contemplación para el propósito opuesto y decirse: «No hay garantía de que vaya a estar vivo mañana, así que será mejor que hoy me divierta».

—¿Tiene alguna sugerencia acerca de cómo podrían desarrollar ese sentido de la urgencia los que no son budistas?

—Bueno, como ya he señalado, aquí es donde intervienen la educación y la información. Antes de conocer a ciertos expertos, por ejemplo, yo sabía muy poco sobre la crisis del medio ambiente. Pero ellos me explicaron el problema al que nos enfrentamos, y fui consciente de la gravedad de la situación. Eso mismo puede aplicarse a otros problemas que afrontamos.

—Pero, en ocasiones, incluso disponiendo de información, quizá no tengamos energía para efectuar el cambio. ¿Cómo podemos superar eso? —le pregunté.

El Dalai Lama reflexionó antes de contestar.

—Creo que tenemos que establecer una distinción. La apatía obedece en ocasiones a factores biológicos, y entonces hay que trabajar para cambiar el estilo de vida. Así, por ejemplo, dormir lo suficiente, seguir una dieta saludable, abstenerse de tomar alcohol, etcétera, ayuda a mantener la mente más alerta. En algunos casos quizá haya que recurrir incluso a medicamentos u otros remedios si la causa es una enfermedad. Pero también hay otra clase de apatía o pereza, la que surge de la debilidad de la mente...

—Sí, a eso me estaba refiriendo.

—Para superar esta apatía y generar compromiso y entusiasmo que permitan cambiar comportamientos o estados mentales negativos, creo que el método más efectivo y quizá la única solución es ser siempre conscientes de los efectos destructivos del comportamiento negativo. Quizá haya que recordar repetidas veces dichos efectos.

Las observaciones del Dalai Lama me parecían acertadas. Como psiquiatra, sin embargo, sabía que algunos comportamientos negativos y formas de pensar están fuertemente arraigados, así como lo difícil que le resulta cambiar a la gente. Me he pasado muchas horas examinando y diseccionando la resistencia de los pacientes al cambio cuando hay en juego complejos factores psicodinámicos, así que pregunté:

—A menudo, la gente desea introducir cambios positivos en su vida, tener comportamientos más sanos..., pero en ocasiones parece producirse una especie de inercia o resistencia... ¿Cómo lo explicaría?

—Es bastante fácil —dijo con naturalidad.

—¿Fácil?

—Eso ocurre porque nos habituamos a hacer las cosas de cierta manera. Nos malcriamos y repetimos conductas que nos son familiares.

—Pero ¿cómo podemos superar eso?

—Utilizando el hábito en beneficio propio. Al familiarizarnos constantemente con nuevas pautas de comportamiento, podemos establecerlas de modo definitivo. Le voy a dar un ejemplo: en Dharamsala solía iniciar la jornada a las tres y media de la mañana, aunque aquí, en Arizona, me estoy levantando a las cuatro y media. Duermo una hora más —dijo, sonriente—. Al principio se necesita un poco de esfuerzo para acostumbrarse, pero al cabo de unos meses se convierte en una rutina y ya no hay necesidad de ningún esfuerzo. Así, si uno se acostara un poco más tarde, se podría tener una tendencia a querer unos minutos más de sueño, pero uno se seguiría levantando a las tres y media sin esforzarse. Ello se debe al poder de la costumbre.

»Del mismo modo, podemos superar cualquier condicionamiento negativo y efectuar cambios positivos en nuestra vida. Pero hay que tener en cuenta que el cambio genuino no se produce de la noche a la mañana. En mi caso, por ejemplo, si comparo mi estado mental actual con el de, por ejemplo, hace veinte o treinta años, observo una gran diferencia. Pero a eso he llegado paso a paso. Empecé a estudiar el budismo aproximadamente a la edad de cinco o seis años, pero en aquella época no estaba interesado en los estudios —se echó a reír—, a pesar de que me llamaban la más alta reencarnación. Creo que hasta que no tuve unos dieciséis años no empecé a pensar seriamente en el budismo. Fue entonces cuando inicié prácticas serias. Luego, con el transcurso de los años, desarrollé un profundo aprecio por los principios y prácticas budistas, que al comienzo me habían parecido casi antinaturales. Todo me vino a través de la familiarización gradual. Claro que el proceso duró más de cuarenta años.

»Como ve, en lo más profundo, el desarrollo mental requiere tiempo. Si alguien dice: "Las cosas han mejorado después de pasar por muchos años de dificultades", me tomo esa afirmación muy seriamente y es muy probable que los cambios sean genuinos y duraderos. Pero si alguien dice: "En muy poco tiempo he tenido un gran cambio", dudo mucho de esa afirmación.

Aunque el análisis del Dalai Lama era irreprochable, había una cuestión que parecía quedar pendiente.

—Ha mencionado la necesidad de un alto nivel de entusiasmo y determinación para transformar la mente, para efectuar cambios positivos. Al mismo tiempo, sin embargo, reconocemos que el verdadero cambio sólo se produce con lentitud y puede exigir mucho tiempo —continué—. En consecuencia, es fácil desanimarse. ¿No se ha sentido nunca desanimado por el lento progreso en su práctica espiritual o por algún otro aspecto de su vida?

—Sí, desde luego —contestó.

—¿Cómo afronta eso?

—Por lo que se refiere a mi práctica espiritual, si encuentro obstáculos o problemas, me resulta útil detenerme y echar una mirada a largo plazo. Existen unos versos que en esas circunstancias me transmiten valor y me ayudan a mantener mi determinación. Son éstos:

> *Mientras el espacio perdure,*
> *mientras queden seres sensibles,*
> *viva también yo*
> *para disipar las miserias del mundo.*

»Ahora bien, por lo que se refiere a la lucha por la libertad del Tíbet, si con la convicción expresada en esos versos estuviera dispuesto a esperar eones y eones... mientras el espacio perdure... bueno, creo que tendría una actitud estúpida. Hemos de implicarnos activa e inmediatamente. Claro que, en esta lucha por la libertad, al pensar en los catorce o quince años de esfuerzos negociadores, sin resultados, al pensar en casi quince años de fracasos, se despierta en mí un sentimiento de impaciencia o frustración. Pero ese sentimiento no me desanima hasta el punto de perder la esperanza.

Insistí:

—Pero ¿qué es exactamente lo que le impide perder la esperanza?

—Creo que me ayuda la amplitud de mi perspectiva. Por ejemplo, si observamos la situación del Tíbet desde una perspectiva estrecha, nos sentiremos impotentes. No obstante, si lo hacemos desde una perspectiva más amplia, vemos una situación internacional en la que se están derrumbando los sistemas comunistas y totalitarios, en la que incluso existe en China un movimiento favorable a la democracia, en la que el ánimo de los tibetanos sigue siendo alto. Así que no abandono.

Llama la atención que un hombre con la formación filosófica y la práctica meditativa del Dalai Lama prescriba la educación como primer paso para producir la transformación interna, en lugar de prácticas espirituales más trascendentales o místicas. Aunque casi todo el mundo reconoce la importancia de la educación, solemos pasar por alto su papel como factor vital para alcanzar la felicidad. Las investigaciones han demostrado que hasta la educación puramente académica contribuye a la felicidad. Numerosas encuestas han puesto de manifiesto, de forma concluyente, que los niveles superiores de educación tienen ecos beneficiosos en la salud y hasta protegen de la depresión. Al tratar de determinar las razones de estos efectos, los científicos han sugerido que las personas mejor educadas son más conscientes de los factores de riesgo para la salud, están más capacitadas para adoptar medidas que la favorezcan e incrementen la autoestima, tienen mayores habilidades para solucionar problemas y también disponen de estrategias más efectivas para afrontar las situaciones. Así pues, si la simple educación académica aparece asociada con una vida más feliz, ¿cómo no va a ser más importante el aprendizaje del que habla el Dalai Lama, que consiste en comprender y utilizar todo aquello que conduce a una felicidad duradera?

El siguiente paso en el camino del Dalai Lama hacia el cambio supone generar «decisión y entusiasmo». Estas actitudes también son señaladas por la ciencia occidental contemporánea como factores importantes para alcanzar los objetivos. El psicólogo educativo Benjamin Bloom estudió la vida de algunos de los artistas, atletas y científicos estadounidenses más destacados y descubrió que el impulso y la decisión, y no el talento natural, fue lo que les permitió triunfar. Por tanto, cabe concluir que también son factores determinantes en el arte de alcanzar la felicidad.

Los estudiosos del comportamiento han investigado ampliamente los mecanismos que inician, mantienen y dirigen nuestras actividades, lo que se ha denominado «motivación humana». Los psicólogos han identificado tres clases principales de motivación. La primera es la motivación primaria, impulso basado en las necesidades biológicas para sobrevivir. Incluye, por ejemplo, las necesidades de alimento, agua y aire. La segunda agrupa las necesidades de estímulo e información, que para algunos investigadores son innatas e intervienen en la maduración y el funcionamiento del sistema nervioso. Por último, tenemos las motivaciones secundarias, derivadas de necesidades e impulsos adquiridos. Muchas de ellas están relacionadas con la necesidad de éxito y poder, influidas por fuerzas sociales y configuradas por el aprendizaje. Es aquí donde las teorías de la psicología moderna se encuentran con el concepto del Dalai Lama de desarrollar «decisión y entusiasmo». En el sistema del Dalai Lama, sin embargo, el impulso y la decisión no se utilizan únicamente para buscar el éxito mundano, sino que se desarrollan a medida que se obtiene una comprensión más clara de los factores que conducen a la verdadera felicidad y se utilizan en la búsqueda de objetivos superiores, como la compasión y el crecimiento espiritual.

El «esfuerzo» es el último factor del cambio. El Dalai Lama lo caracteriza como un factor necesario para establecer un nuevo condicionamiento. La idea de que podemos cambiar nuestros comportamientos y pensamientos negativos mediante un nuevo condicionamiento no sólo es compartida por muchos psicólogos occidentales, sino que constituye el fundamento de la psicología conductista: las personas han aprendido a ser como son, de modo que adoptando nuevos condicionamientos se puede resolver una amplia gama de problemas.

Aunque la ciencia ha revelado recientemente que la predisposición genética de la persona tiene un papel muy claro en las respuestas del individuo ante el mundo, muchos psicólogos creen que buena parte de nuestra forma de comportarnos, de pensar y de sentir viene determinada por el aprendizaje y el condicionamiento, es decir, por la educación y las fuerzas sociales y culturales. Y puesto que los comportamientos son reforzados por el hábito, se nos abre la posibilidad, tal como afirma el Dalai Lama, de erradicar el condicionamiento nocivo y sustituirlo por uno útil, la vida.

Realizar un esfuerzo continuado para cambiar el comportamiento no sólo es útil para superar los malos hábitos, sino también para cambiar nuestros sentimientos fundamentales. Los experimentos han demostrado que así como nuestras actitudes determinan nuestro comportamiento, idea comúnmente aceptada, el comportamiento también puede cambiar nuestras actitudes. Los investigadores han descubierto que gestos inducidos experimentalmente, como fruncir el entrecejo o sonreír, tienden a producir las correspondientes emociones de cólera o felicidad, lo que sugiere que el simple hecho de «hacer como si», sobre todo si se practica con frecuencia, puede producir finalmente un verdadero cambio interno. Esto avala las prácticas propugnadas por el Dalai Lama. Con el simple acto de ayudar regularmente a los demás, por ejemplo, aunque no nos sintamos particularmente altruistas, podemos desarrollar genuinos sentimientos de compasión.

## Expectativas realistas

Para una verdadera transformación interna —afirma el Dalai Lama— es preciso realizar un esfuerzo continuado. Se trata de un proceso gradual. Esto contrasta agudamente con la proliferación de técnicas y terapias de autoayuda para «soluciones rápidas» que tanto se han popularizado en las últimas décadas en la cultura occidental, técnicas que van desde las «afirmaciones positivas» hasta el «descubrimiento del niño interior».

El Dalai Lama está convencido del tremendo y acaso ilimitado poder de la mente, pero de una mente que haya sido sistemáticamente entrenada y atemperada por años de experiencia y de sano razonamiento. Se necesita mucho tiempo para desarrollar el comportamiento y los hábitos mentales capaces de contribuir a solucionar nuestros problemas, así como para establecer los nuevos hábitos que trae consigo la felicidad. No hay forma de soslayar estos factores esenciales: determinación, esfuerzo y tiempo son las auténticas claves de la felicidad.

Al emprender el camino del cambio, es importante establecer expectativas razonables. Si fueran demasiado elevadas, nos estaríamos encaminando a una desilusión. Si son demasiado bajas pueden desalentar nuestra voluntad de enfrentarnos a las limitaciones y desarrollar todo nuestro potencial. Después de nuestra conversación sobre el proceso de cambio, el Dalai Lama añadió:

—No debería perderse nunca de vista la importancia de mantener una actitud realista, de ser sensible y respetuoso ante la realidad de la situación a medida que se avanza por el camino de la transformación. Se deben reconocer las dificultades que se encuentren y que quizá se necesite tiempo y un esfuerzo coherente para superarlas. Es importante establecer una clara distinción entre los propios ideales y los métodos mediante los que se juzga el progreso. Para un budista, por ejemplo, el fin último es muy elevado: la plena iluminación. Pero esperar alcanzarla con rapidez es una expectativa desmesurada, que te lleva al desánimo y la desesperanza. Así pues, necesitas un enfoque realista. Por otro lado, si dices «Me voy a concentrar en el aquí y el ahora; esto es lo práctico, debo olvidarme del futuro y la iluminación», estás en otra actitud extremada. Necesitamos una actitud intermedia. Necesitamos encontrar equilibrio.

»El tema de las expectativas es complicado. Las excesivas, sin fundamentos adecuados, acarrean problemas. Por otro lado, si no tienes expectativas y esperanza, si no tienes aspiraciones, no puede haber progreso. Por tanto, no resulta fácil encontrar el equilibrio adecuado.

Yo seguía abrigando dudas; aunque pudiéramos modificar algunos comportamientos y actitudes negativos con suficiente tiempo y esfuerzo, ¿hasta qué punto era realmente posible erradicar las emociones negativas? Decidí abordar el tema con el Dalai Lama.

—Para acercarnos a una felicidad duradera, ha dicho usted, debemos eliminar nuestros comportamientos y estados mentales negativos, como la cólera, el odio, la avaricia... —El Dalai Lama asintió con un gesto—. Pero esas emociones son inherentes a nuestra constitución psíquica. Al parecer, todos los seres humanos experimentamos en mayor o menor grado esas oscuras emociones. Si eso es así, ¿es razonable detestar, negar y combatir a una parte de nosotros mismos? ¿Es correcto tratar de erradicar alguna parte de nuestra naturaleza?

—Sí, algunas personas sugieren que la cólera, el odio y otras emociones negativas son naturales e inamovibles. Pero eso es erróneo. Todos nosotros nacemos en un estado de ignorancia. La ignorancia, por lo tanto, también es natural. Pero, a medida que crecemos, adquirimos conocimientos a través de la educación y el aprendizaje, disipamos la ignorancia. Sin embargo, si permaneciéramos en un estado de ignorancia, sin desarrollar nuestro aprendizaje, no seríamos capaces de disipar la ignorancia. Del mismo modo, mediante una formación adecuada podemos reducir gradualmente nuestras emociones negativas y ampliar nuestros estados mentales positivos, como el amor, la compasión y el perdón.

—Pero si esas emociones forman parte de la psique, ¿cómo podemos tener éxito a la hora de luchar contra ellas?

—Para ello es útil saber cómo funciona la mente humana —contestó el Dalai Lama—. La mente es muy compleja y muy habilidosa. Es capaz de encontrar muchas formas de afrontar una gran variedad de situaciones. Para empezar, tiene capacidad de adoptar diferentes perspectivas.

»En la práctica budista se utiliza esta capacidad en meditaciones en las que se aíslan mentalmente diferentes aspectos de uno mismo, para luego establecer un diálogo entre ellos. Tenemos, por ejemplo, la meditación para intensificar el altruismo, en la que se establece un diálogo entre la actitud egocéntrica y la actitud de progreso espiritual. Por tanto, y a pesar de que rasgos negativos como el odio y la cólera forman parte de la mente, podemos embarcarnos en la tarea de tomarlos como objetos externos y combatirlos.

»A menudo nos encontramos en situaciones en las que nos censuramos, y nos decimos: "Me he defraudado a mí mismo", y nos enfadamos. Así que también en esas ocasiones entablamos un diálogo con nosotros mismos, aunque en realidad seamos siempre un solo individuo. A pesar de ello, tiene sentido criticarse, enojarse con uno mismo, como todos sabemos por experiencia propia.

»Pues bien, aunque en realidad sólo hay un único ser individual, se pueden adoptar dos perspectivas diferentes. ¿Qué es lo que ocurre cuando uno se critica? El "yo" que critica lo hace desde una perspectiva totalizadora de la persona, mientras que el "yo" criticado es uno mismo en una experiencia concreta. Así es posible esta relación del "sí mismo con el sí mismo".

»Cabe añadir que es útil reflexionar sobre los diversos aspectos de la identidad personal. Tomemos como ejemplo un monje tibetano. Ese individuo puede construir su identidad desde la perspectiva de ser monje: "yo mismo como monje". Y también puede experimentar su identidad basándose en su origen étnico, como tibetano, de modo que puede decir: "Soy tibetano". Y puede tener otra identidad en la que la condición monacal y el origen étnico no jueguen un papel importante. Puede pensar: "Soy un ser humano". Tenemos por tanto perspectivas diferentes de la identidad personal.

»Esto indica que cuando nos relacionamos conceptualmente con algo, podemos observar un mismo fenómeno desde muchos ángulos diferentes, y que esta capacidad es bastante selectiva; podemos enfocar la atención en un aspecto de ese fenómeno y adoptar una perspectiva determinada. Esta facultad es muy importante cuando queremos identificar y eliminar ciertos aspectos negativos en nosotros o intensificar los rasgos positivos: con ella podemos aislar las partes que tratamos de eliminar o contra las que queremos luchar.

»Pero entonces, surge una cuestión muy importante: aunque podemos enfrentarnos a la cólera, el odio y los demás estados negativos de la mente, ¿qué garantía tenemos de que es posible vencerlos?

»Al hablar de estos estados negativos de la mente, debería señalar que me refiero a lo que nosotros llamamos *Nyon Mong* en tibetano, o *Klesha* en sánscrito. Este término significa literalmente "aquello que aflige desde dentro". A menudo se traduce como "ilusiones". La etimología de la palabra tibetana *Nyon Mong* nos indica que se trata de algo emocional y cognitivo que aflige a nuestra mente, destruye nuestra paz mental o nos produce una perturbación psíquica. Si observamos atentamente, será fácil reconocer la naturaleza de estas "ilusiones" por su tendencia a destruir nuestra calma. Pero en cambio es mucho más difícil descubrir si podemos superarlas. Esto se relaciona directamente con la posibilidad de activar todo nuestro potencial espiritual, que es un tema muy serio y de arduo tratamiento.

»Así pues, ¿qué argumentos tenemos para creer que estas emociones destructivas o "ilusiones" pueden ser eliminadas de nuestra mente? En el pensamiento budista, tenemos tres premisas sobre ello.

»La primera afirma que todos los estados "ilusorios" de la mente, todas las emociones y pensamientos destructivos son distorsiones, porque se apoyan en percepciones erróneas de la realidad. Por muy poderosas que sean, esas emociones carecen de fundamento válido.

Se basan en la ignorancia. Por otro lado, todas las emociones o estados positivos de la mente, como el amor y la compasión, tienen una base muy sólida. Cuando la mente experimenta estos estados positivos, no hay distorsión, ya que están fundados en la realidad, pueden ser verificados por nuestra experiencia. Pero no ocurre lo mismo en el caso de las emociones destructivas, como la cólera y el odio. Además, los estados positivos pueden ser potenciados continuamente, siempre y cuando realicemos prácticas regulares.

—¿Puede explicarme a qué se refiere al decir que los estados positivos de la mente tienen una «base sólida» mientras que los estados negativos carecen de ella? —le interrumpí.

—Tomemos la compasión, por ejemplo. Se empieza por reconocer que no se desea sufrir y que se tiene derecho a alcanzar la felicidad. Eso se puede verificar. Se reconoce a continuación que las demás personas, como uno mismo, tampoco desean sufrir y también tienen derecho a alcanzar la felicidad. Ya se tiene la base para generar compasión.

»Esencialmente, hay dos clases de emociones o estados de la mente: las positivas y negativas. Una forma de clasificar estas emociones sería considerar si pueden ser justificadas. Antes por ejemplo, al analizar el deseo, vimos que hay algunos negativos. El deseo de satisfacer las necesidades básicas es positivo. Es justificable. Se basa en el hecho de que todos existimos y tenemos derecho a sobrevivir. Así pues, ese deseo tiene un fundamento sólido. Los deseos negativos, como por ejemplo la avaricia, no poseen bases sólidas, y a menudo no hacen sino crear problemas y complicarnos la vida. La avaricia obedece al descontento, a pesar de que las cosas que se desean no son realmente necesarias.

El Dalai Lama continuó su examen de la mente humana con la misma escrupulosidad que pudiera emplear un botánico para clasificar especies raras.

—Eso nos lleva a la segunda premisa sobre la que se basa la afirmación de que podemos erradicar las emociones negativas. Establece que los estados positivos de la mente pueden actuar como antídotos contra las tendencias negativas y los estados ilusorios. Por consiguiente, cultivando y potenciando los estados positivos, los antídotos, reduciremos la presencia de los estados negativos.

»En la práctica budista, ciertas cualidades mentales positivas, como la paciencia, la tolerancia y la amabilidad, pueden actuar como antídotos específicos contra la cólera, el odio y el apego. Antídotos como el amor y la compasión reducen de modo significativo las aflicciones mentales, pero su especificidad los convierte en medidas parciales. Las emociones destructivas se encuentran en último término enraizadas en la ignorancia, es decir, en la concepción errónea de la naturaleza de la realidad. En consecuencia, todas las confesiones budistas parecen coincidir en que, para superar plenamente todas las tendencias negativas, tenemos que aplicar el antídoto contra la ignorancia, es decir, el "factor sabiduría". Eso es indispensable. Ese "factor sabiduría" supone crear percepción de la verdadera naturaleza de la realidad.

»En resumen, en la tradición budista no sólo tenemos antídotos específicos, como por ejemplo la paciencia y la tolerancia, que actúan como antídotos específicos contra la cólera y el odio, sino que también disponemos de un antídoto general, el conocimiento de la naturaleza de la realidad. Esto es algo similar a librarse de una planta venenosa: puedes eliminar los efectos nocivos cortando ramas y hojas o bien arrancando la planta de cuajo.

El Dalai Lama continuó con su exposición de las premisas:

—La tercera premisa asevera que la naturaleza esencial de la mente es pura, que la conciencia básica no está manchada por emociones negativas. Su naturaleza es pura, un estado denominado «la mente de luz clara» y también la «naturaleza de Buda». Puesto que las emociones negativas no forman parte de la naturaleza de Buda, existe la posibilidad de eliminarlas y purificar la mente.

»De acuerdo con estas tres premisas, el budismo sostiene que las aflicciones mentales y emocionales pueden ser eliminadas mediante el cultivo de fuerzas que actúan como antídotos, como el amor, la compasión, la tolerancia y el perdón, así como con prácticas como la meditación.

Ya había oído hablar al Dalai Lama de la naturaleza fundamental de la mente y de su capacidad para eliminar nuestras pautas negativas de pensamiento. Había comparado la mente con un vaso de agua sucia; los estados mentales aflictivos eran las «impurezas», que podían ser eliminadas para revelar la fundamental naturaleza «pura» del agua. Esto parecía un tanto abstracto, así que le interrumpí, impulsado por preocupaciones prácticas.

—Supongamos que uno acepta la posibilidad de eliminar las emociones negativas y empieza a dar pasos en esa dirección. A partir de nuestras conversaciones, sin embargo, me doy cuenta de que sería preciso un tremendo esfuerzo para erradicar ese lado oscuro: estudio, contemplación, aplicación constante de antídotos, intensas prácticas de meditación, etcétera. Eso puede ser apropiado para un monje o para alguien capaz de dedicar mucho tiempo y atención a esas actividades. Pero ¿qué sucede con la persona corriente, que tiene una familia y un trabajo, que quizá no disponga de suficiente tiempo? ¿No sería más adecuado para esas personas tratar de vivir con sus emociones manejándolas adecuadamente, en lugar de intentar erradicarlas por completo? Sucede aquí lo mismo que con los enfermos de diabetes. Quizá no dispongan de los medios para alcanzar una cura completa, pero si vigilan su dieta, toman insulina, etcétera, pueden controlar la enfermedad y evitar las secuelas negativas.

—¡Sí, precisamente de eso se trata! —me respondió con entusiasmo—. Estoy de acuerdo con usted. Lo que podamos hacer para reducir la influencia de las emociones negativas, por poco que sea, siempre será muy útil, puede ayudar a llevar una vida más satisfactoria.

Mire, un laico cargado de obligaciones familiares y laborales puede alcanzar, no obstante, un alto grado de realización espiritual. Ha habido personas que no iniciaron una práctica seria hasta un período avanzado de su vida, cuando ya tenían cincuenta o incluso ochenta años, a pesar de lo cual pudieron convertirse en grandes maestros.

—¿Ha conocido personas que hayan alcanzado esa condición? —le pregunté.

—Es difícil reconocerlos. Los verdaderos practicantes nunca alardean —contestó riéndose.

En Occidente son muchas las personas que consideran las convicciones religiosas como una fuente de felicidad; el enfoque del Dalai Lama, sin embargo, es fundamentalmente distinto al de muchas religiones occidentales, ya que depende mucho más del razonamiento y la formación de la mente que de la fe. En algunos aspectos, el budismo del Dalai Lama se parece a una ciencia de la mente, un sistema cuya aplicación se asemeja a la psicoterapia. Pero lo que el Dalai Lama sugiere va mucho más allá. Aunque estamos acostumbrados a utilizar técnicas psicoterapéuticas para modelar el comportamiento, para eliminar malos hábitos como fumar o beber y para combatir conductas impulsivas, no estamos tan acostumbrados a cultivar los atributos positivos, el amor, la compasión, la paciencia y la generosidad, como armas purificadoras de los estados mentales negativos. El método del Dalai Lama para alcanzar la felicidad se basa en la idea revolucionaria de que los estados mentales negativos no constituyen una parte intrínseca de nuestra mente, sino que son obstáculos transitorios en la expresión de nuestro estado fundamental de alegría y felicidad.

Las escuelas más tradicionales de la psicoterapia occidental concentran su acción en la neurosis del individuo; exploran su historia personal, sus relaciones, sus experiencias cotidianas (incluidos los sueños y las fantasías) y hasta la relación con el terapeuta, en un intento por resolver los conflictos internos del paciente, sus motivos inconscientes y la dinámica psicológica que pueda encontrarse en el origen de sus problemas. Es decir, se centran en encontrar estrategias más sanas para afrontar las situaciones, un mejor ajuste, una mejora de los síntomas, antes que una formación de la mente para ser más feliz.

El rasgo más característico del método de formación de la mente, expuesto por el Dalai Lama, es la idea de que los estados positivos de la mente pueden actuar como antídotos contra los estados negativos. Al buscar paralelismos en la ciencia moderna del comportamiento, la terapia cognitiva es quizá la que más se le acerca. Esta psicoterapia se ha hecho cada vez más popular en las últimas décadas y ha demostrado ser muy efectiva en una amplia variedad de problemas, particularmente los trastornos del estado de ánimo, como la depresión y la ansiedad. La terapia cognitiva moderna, desarrollada por psicoterapeutas como Albert Ellis y Aaron Beck, se basa en la tesis de que las perturbaciones emocionales y los comportamientos inadaptados tienen su causa en distorsiones del juicio y en convicciones irracionales. La terapia consiste en ayudar al paciente a identificar, examinar y corregir sistemáticamente tales distorsiones. Los pensamientos correctores son, en cierto modo, antídotos contra las pautas distorsionadas que son el origen del sufrimiento del paciente.

Una persona rechazada por otra, por ejemplo, responde con excesivo dolor. El terapeuta cognitivo ayuda a la persona a identificar la convicción irracional subyacente, que puede ser ésta: «Tengo que ser amado y aprobado por todas las personas significativas que haya en mi vida en todo momento; de no ser así, no valdré nada y la vida será horrible». El terapeuta le presenta pruebas que refutan esa convicción. Aunque este enfoque pueda parecer superficial, muchos estudios han demostrado que la terapia cognitiva obtiene buenos resultados. En el tratamiento de la depresión, por ejemplo, parte del principio que está originada por los pensamientos autopunitivos. De un modo similar a los budistas, que ven todas las emociones negativas como distorsiones, el terapeuta cognitivo considera los pensamientos generadores de depresión como «esencialmente distorsionados». En la depresión, el pensamiento considera los acontecimientos como una cuestión de todo o nada: o generaliza en exceso (si se pierde un trabajo, se piensa automáticamente: «Soy un fracasado») o se piensa selectivamente (si en un día ocurren tres cosas buenas y dos malas, el deprimido deja de lado las buenas y sólo se fija en las malas). Así, al tratar la depresión, el terapeuta ayuda al paciente a neutralizar la aparición automática de pensamientos negativos (como por ejemplo: «No tengo absolutamente ningún valor») mediante la acumulación de información y pruebas que los contradigan (por ejemplo: «He trabajado duramente para educar a dos hijos», «Tengo talento para el canto», «He sido un buen amigo», «He mantenido un puesto de trabajo difícil»). Los investigadores han demostrado que al sustituir los modos de pensamientos distorsionados por información veraz, podemos producir un cambio en los sentimientos y mejorar así nuestro estado de ánimo.

El hecho mismo de que podamos cambiar nuestras emociones y contrarrestar los pensamientos negativos mediante la aplicación de otros pensamientos apoya la tesis del Dalai Lama, según la cual podemos superar nuestros estados mentales negativos mediante la aplicación de «antídotos», es decir, estados mentales positivos. Después de las recientes pruebas científicas de que se puede transformar la estructura y el funcionamiento del cerebro mediante el cultivo de nuevos pensamientos, la observación de que podemos alcanzar la felicidad mediante el entrenamiento de la mente es completamente plausible.

# 13

## Cómo afrontar la cólera y el odio

> Si uno se encuentra con una persona a la que le han disparado una flecha, no dedica el tiempo a preguntarse de dónde ha venido la flecha, o la casta del individuo que la disparó, o a analizar de qué tipo de madera está hecho el astil o la manera en que está hecha la punta de la flecha, sino que se centra en extraer inmediatamente ésta.
>
> *Shakyamuni*, el Buda

DIRIGIMOS AHORA NUESTRA atención a algunas de las «flechas», los estados negativos de la mente que pueden destruir nuestra felicidad, así como sus correspondientes antídotos. Todos los estados mentales negativos actúan como obstáculos a nuestra felicidad, pero empezaremos por la cólera, que parece producir uno de los bloqueos más grandes. El filósofo estoico Séneca la describió como «la más horrible y frenética de todas las emociones». Los efectos destructivos de la cólera y el odio han sido bien documentados en recientes estudios científicos. Naturalmente, no necesitamos pruebas científicas para darnos cuenta de cómo estas emociones pueden nublar nuestro juicio, causar sentimientos de extrema incomodidad o provocar estragos en nuestras relaciones personales. Eso lo sabemos por experiencia personal. En los últimos años, sin embargo, se han logrado grandes progresos en la descripción de los efectos físicos nocivos de la cólera y la hostilidad. Docenas de estudios han demostrado que estas emociones son una causa significativa de enfermedad y muerte prematura. Investigadores como el doctor Redford Williams, de la Universidad de Duke, o el doctor Robert Sapolsky, de la Universidad de Stanford, han realizado estudios que demuestran que la cólera, el enojo y la hostilidad son particularmente nocivos para el sistema cardiovascular. De hecho, se han acumulado tantas pruebas acerca de los efectos nocivos de la hostilidad que se la considera ahora un gran factor de riesgo en las enfermedades cardíacas, a la misma altura o quizá mayor que otros factores tradicionalmente reconocidos, como el colesterol o la presión sanguínea elevadas.

Una vez aceptamos los efectos nocivos de la cólera y el odio, la siguiente pregunta es: ¿cómo superarlos?

El primer día de mi trabajo como asesor psiquiátrico de una clínica, un miembro del personal me mostraba mi nueva consulta cuando escuché que por la sala reverberaban unos gritos capaces de helarle la sangre a cualquiera.

—Estoy enfadada...

—Más fuerte.

—¡Estoy enfadada!

—¡Mas fuerte! ¡Demuéstremelo! ¡Que yo lo vea!

—¡Estoy enfadada! ¡¡Estoy enfadada!! ¡Le odio! ¡¡Le odio!!

Fue algo verdaderamente terrorífico. Le comenté al miembro del personal que aquello parecía una crisis necesitada de tratamiento urgente.

—No se preocupe —me dijo, echándose a reír—. En estos momentos tienen una sesión de terapia de grupo en el vestíbulo. Ese método ayuda a la paciente a entrar en contacto con su cólera.

Más tarde, ese mismo día, tuve oportunidad de reunirme con la paciente en cuestión, en privado. Parecía agotada.

—Me siento muy relajada —dijo—. Esa sesión de terapia realmente ha funcionado. Tengo la sensación de haberme desprendido de toda mi cólera.

En nuestra siguiente sesión, sin embargo, la paciente me informó:

—Bueno, supongo que, después de todo, no me desprendí de toda mi cólera. Ayer, justo después de marcharme, cuando salía del aparcamiento, un imbécil estuvo a punto de arrollarme... ¡Me puse furiosa! Y durante todo el trayecto de regreso a casa no hice sino maldecir por lo bajo a aquel imbécil. Supongo que aún necesito unas pocas sesiones más de expresión de la cólera para quitármela del todo.


Al prepararse para conquistar la cólera y el odio, el Dalai Lama empieza por investigar la naturaleza de estas emociones destructivas.

—En términos generales —explicó—, hay muchas clases diferentes de emociones perversas o negativas, como el engreimiento, la arrogancia, los celos, el deseo, la lascivia, la estrechez de miras, etcétera. Pero, de entre todas ellas, el odio y la cólera se consideran los mayores males debido a que son los principales obstáculos que impiden el desarrollo de la compasión y el altruismo y porque destruyen la virtud y la serenidad mental.

»Hablo de cólera, pero puede haberla de dos tipos. Uno de ellos puede ser positivo, dependiendo principalmente de la propia motivación. Es posible que haya una cólera motivada por la compasión o por el sentido de la responsabilidad. En los casos en que la cólera está motivada por la compasión, puede ser utilizada como un impulso o catalizador para una acción positiva. Bajo tales circunstancias, una emoción humana como la cólera actúa como una fuerza capaz de provocar una acción rápida. Se crea así una energía que permite al individuo actuar con rapidez y decisión. Puede ser un potente factor motivador. De modo que esa clase de cólera puede ser positiva a veces. Sucede con demasiada frecuencia, sin embargo, que la energía también es ciega, aunque esa clase de cólera actúe como una especie de protector, de modo que no se puede estar seguro de que al final sea constructiva o destructiva.

»De modo que, aunque bajo ciertas circunstancias algunas clases de cólera pueden ser positivas, esta pasión conduce, en términos generales, a sentimientos negativos y al odio. Y, por lo que se refiere al odio, nunca es positivo. No proporciona ningún beneficio. Siempre es totalmente negativo.

»No podemos superar la cólera y el odio simplemente suprimiéndolos. Necesitamos cultivar activamente los antídotos contra ellos: la paciencia y la tolerancia. Siguiendo el modelo del que hemos hablado antes, para cultivar con éxito la paciencia y la tolerancia se necesita generar entusiasmo, tener un intenso deseo de él. Cuanto más grande sea su entusiasmo, tanto mayor será su posibilidad de resistir las dificultades que encuentre en el proceso. Proponiéndose la práctica de la paciencia y la tolerancia, lo que sucede en realidad es que se participa en un combate contra el odio y la cólera. Puesto que se trata de un combate, lo que se busca es la victoria, pero también se ha de estar preparado para una posible derrota. Así pues, mientras se combate, no debería perderse de vista el hecho de que a lo largo de él habrá que afrontar numerosos problemas. Se debe tener habilidad para resistir esas dificultades. Alguien que alcanza la victoria sobre el odio y la cólera a través de un proceso tan arduo, es un verdadero héroe.

»El intenso entusiasmo del que hablamos se genera teniendo esto en cuenta. El entusiasmo es el resultado de aprender y reflexionar sobre los efectos beneficiosos de la tolerancia y la paciencia y sobre los efectos destructivos y negativos de la cólera y el odio. Ese mismo acto, esa misma realización creará por sí misma una inclinación hacia los sentimientos de tolerancia y paciencia, hará que se sienta más prudente y esté más atento a los pensamientos de cólera y odio. Habitualmente, no nos preocupamos mucho por la cólera y el odio, de modo que estas emociones simplemente aparecen. Pero una vez que desarrollamos una actitud prudente frente a ellas, el mismo cuidado puede actuar por sí mismo como una prevención.

»Los efectos destructivos del odio son muy visibles, muy evidentes e inmediatos. Por ejemplo: en su interior surge un pensamiento de odio muy fuerte o enérgico; en ese mismo instante le abruma por completo y destruye su paz mental, su presencia de ánimo desaparece completamente. Cuando surge una cólera y un odio tan intensos, se obnubila la mejor parte de su cerebro, la capacidad para juzgar lo que es correcto y lo equivocado, así como la visión de las consecuencias a largo y a corto plazo de sus acciones. Su capacidad de juicio se atasca, ya no es capaz de funcionar. Es casi como si se hubiera vuelto loco. Así pues, esta cólera y este odio tienden a producirle un estado de confusión que no sirve sino para empeorar sus problemas y dificultades.

»Incluso a nivel físico, el odio produce una transformación del individuo muy antipática y desagradable. En el instante mismo en que surgen fuertes sentimientos de cólera u odio, el rostro de la persona se contorsiona y afea, por mucho que ésta intente fingir o adoptar una actitud digna. La expresión se hace muy desagradable y la persona transmite una vibración hostil. Otras personas pueden percibirlo. Es casi como si pudieran notar vapor brotando del cuerpo de esa persona, hasta el punto de que ya no son únicamente los seres humanos los capaces de percibirlo, sino hasta los animales de compañía, que tratarán de evitar a la persona. Cuando alguien abriga pensamientos de odio, éstos tienden a acumularse en su interior, lo cual puede provocar incluso pérdida del apetito o sueño, o hacer que la persona se sienta más tensa y alterada.

»Por estas razones, la cólera ha sido comparada a un enemigo. Un enemigo interno que no tiene otra función que causarnos daño. Es nuestro verdadero enemigo, nuestro enemigo más definitivo. No tiene otra función que la de destruirnos, tanto en términos inmediatos como a largo plazo.

»El odio actúa de un modo muy distinto a un enemigo corriente, porque éste, es decir, una persona a la que consideremos enemiga nuestra, puede maniobrar para perjudicarnos, pero también se ve obligada a hacer otras cosas: tiene que comer, tiene que dormir y, por lo tanto, no puede dedicar las veinticuatro horas del día, es decir, toda su existencia, a su propósito de hacernos daño. Por otro lado, el odio no tiene ninguna otra función, ningún otro propósito que destruirnos. Si fuéramos consciente de ello, deberíamos resolver que nunca daremos a este enemigo la oportunidad de surgir dentro de nosotros.

—Al afrontar la cólera, ¿qué le parecen algunos de los métodos de la psicoterapia occidental que animan a su expresión?

—Creo que tenemos que comprender que pueden darse situaciones diferentes —explicó el Dalai Lama—. En algunos casos, la gente abriga fuertes sentimientos de cólera y dolor basados en algo que se les hizo en el pasado, un maltrato o lo que fuera, y ese sentimiento se mantiene reprimido. Según una expresión tibetana, si existe algún mal en la concha de un caracol puedes eliminarlo soplando. En otras palabras, si algo bloquea la concha, sólo hay que soplar y ésta quedará despejada. De modo similar, cabe concebir una situación en la que, debido a la dificultad de reprimir ciertas emociones o sentimientos de cólera, sea mejor dejarse arrastrar y expresarlos.

»No obstante, creo que, en términos generales, la cólera y el odio son el tipo de emociones que, si no se las controla y vigila, tienden a agravarse, paulatinamente se intensifican. Si uno se acostumbra a dejarlas aflorar y a expresarlas, el resultado suele ser su aumento, no su reducción. Tengo por tanto la impresión de que lo mejor es adoptar una actitud prudente y tratar de reducir activamente su intensidad.

—Si tiene la impresión de que expresar o liberar la cólera no es la respuesta, ¿cuál será ésta? —le pregunté.

—En primer lugar, los sentimientos de cólera y odio surgen de una mente torturada por la insatisfacción y el descontento. Uno puede prepararse con antelación trabajando sistemáticamente para crear satisfacción interior y para cultivar la amabilidad y la compasión. Eso produce una tranquilidad de espíritu que por sí misma contribuye a impedir que surja la cólera. Cuando aparezca una situación que le enoje, debe afrontarse directamente la cólera y analizarla, ver si es una respuesta apropiada y si es constructiva o destructiva. Se hace entonces un esfuerzo por ejercer una cierta disciplina y contención interna, combatiéndola activamente mediante la aplicación de antídotos que contrarresten estas emociones negativas, como pensamientos de paciencia y tolerancia.

El Dalai Lama hizo una pausa, antes de añadir, con su acostumbrado pragmatismo:

—Naturalmente, cuando se trabaja para superar la cólera y el odio es posible que en la fase inicial se sigan experimentando estas emociones negativas. Pero hay niveles diferentes de cólera; cuando son ligeros, se puede intentar afrontarla y combatirla en el mismo momento. No obstante, si se desarrolla una emoción negativa muy fuerte, será muy difícil afrontarla inmediatamente. En tal caso, quizá sea mejor tratar de olvidarla momentáneamente. Pensar en alguna otra cosa. Una vez que la mente se haya calmado un poco, se puede analizar y razonar.

En otras palabras, estaba diciendo: «Cuenta hasta diez antes de explotar». Siguió diciendo:

—Para tratar de eliminar la cólera y el odio es indispensable el cultivo deliberado de la paciencia y la tolerancia. El valor y la importancia de tales virtudes podrían concebirse en los siguientes términos: por lo que se refiere a los efectos destructivos de los pensamientos coléricos y de odio, la riqueza no puede protegernos contra ellos. Aunque uno sea millonario, sigue estando sujeto a efectos destructivos. La educación por sí sola tampoco nos garantiza que estemos protegidos contra ellos. Asimismo, la ley tampoco nos proporciona dicha garantía o protección. Son como las armas nucleares: por muy sutiles que sean los sistemas de defensa, no pueden ofrecernos protección o defensa contra ellas...

El Dalai Lama hizo una pausa para tomar impulso, antes de concluir con un tono de voz claro y firme:

—Lo único que puede proporcionarnos refugio o protección contra los efectos destructivos de la cólera y el odio es la práctica de la tolerancia y la paciencia.

Una vez más, la sabiduría tradicional del Dalai Lama es complemente coherente con los datos científicos de que disponemos. El doctor Dolf Zillmann, de la Universidad de Alabama, ha llevado a cabo experimentos que demuestran que los pensamientos coléricos tienden a provocar una estimulación fisiológica que nos hace todavía más proclives a dejarnos arrastrar por la cólera. Podría decirse que la cólera se retroalimenta y que, al intensificarse nuestro estado de nerviosismo, somos más proclives a dejarnos arrastrar por los estímulos ambientales que la provocan.

Si no se controla, la cólera tiende a experimentar una escalada. ¿Qué podemos hacer, entonces, para desactivarla? Tal como sugiere el Dalai Lama, dar rienda suelta a la cólera y la rabia tiene beneficios muy limitados. La expresión terapéutica de la cólera como método de catarsis parece que tuvo su origen en las teorías de Freud sobre las emociones, cuyo funcionamiento explicaba a partir de un ejemplo de la hidrodinámica: al aumentar la presión, ésta tiene que escapar por algún lado. La idea de librarnos de nuestra cólera dándole rienda suelta tiene cierto atractivo dramático y, de algún modo, puede parecer incluso divertida, pero el problema es que no funciona. Muchos estudios realizados durante las cuatro últimas décadas han demostrado de un modo sistemático que la expresión verbal y física de nuestra cólera no contribuyen a disiparla y lo único que consiguen es empeorar las cosas. El doctor Aaron Siegman, psicólogo e investigador de los sentimientos de la Universidad de Maryland, está convencido, por ejemplo, de que es precisamente esta expresión repetida de la cólera y la rabia la que pone en marcha los sistemas internos de estimulación y las respuestas bioquímicas que más probablemente causarán daño en nuestras arterias.

Aunque está claro que dar rienda suelta a nuestra cólera no es la respuesta adecuada, tampoco lo es el desdeñarla o fingir que no existe. Tal como hemos visto en la tercera parte, soslayar los problemas no los hace desaparecer. Así pues, ¿cuál es el mejor enfoque? Resulta interesante observar que entre los modernos investigadores de la cólera, como el doctor Zillmann y el doctor Williams, existe el consenso de que lo más efectivo parecen ser los métodos preconizados por el Dalai Lama. Puesto que el nivel de estrés disminuye la capacidad para frenar el acceso de cólera, el primer paso preventivo consiste en cultivar estados mentales de una mayor satisfacción y serenidad, tal como recomienda el Dalai Lama. Cuando, a pesar de todo, se presenta la cólera, la investigación ha demostrado que el enfrentamiento activo, el análisis lógico y la nueva valoración de los pensamientos que la ponen en marcha contribuyen a disiparla. También hay pruebas experimentales que sugieren que también pueden ser muy efectivas las técnicas que hemos analizado antes, como el cambio de perspectiva o el buscar diferentes ángulos para abordar una situación. Claro que, a menudo, estas cosas son mucho más fáciles de hacer con niveles bajos o moderados de cólera, de modo que es importante practicar la intervención precoz, antes de que los pensamientos de cólera y odio puedan experimentar una escalada.

Debido a su enorme importancia para superar la cólera y el odio, el Dalai Lama habló con cierto detalle sobre el significado y el valor de la paciencia y la tolerancia.

—En nuestra experiencia cotidiana, la tolerancia y la paciencia producen grandes beneficios. Desarrollarlas nos permitirá, por ejemplo, mantener nuestra presencia de ánimo. Si un individuo posee esta capacidad de tolerancia y paciencia, no verá perturbada su serenidad y su paz mental, incluso a pesar de vivir en un ambiente muy tenso, frenético y estresante.

»Otro beneficio de responder a las situaciones difíciles con paciencia, en lugar de dejarse llevar por la cólera, es que la persona se protege de las consecuencias indeseables que pueden producirse si se reacciona con cólera. Si se responde a las situaciones con cólera y odio, no sólo no se protege del dolor o el daño que ya se le ha causado, puesto que estos ya han ocurrido, sino que, además, se crea una causa adicional de sufrimiento en el futuro. No obstante, al responder al daño experimentado con paciencia y tolerancia, se podrán evitar efectos peligrosos a largo plazo. Al sacrificar las pequeñas cosas, al soportar los pequeños problemas y dificultades, se podrán evitar en el futuro experiencias o sufrimientos que quizá sean mucho más grandes. Un ejemplo para ilustrar este punto: si un reo pudiera salvar su vida sacrificando su brazo, ¿no se sentiría agradecido ante esa oportunidad? Al soportar el dolor y el sufrimiento de que le corten el brazo, la persona evitaría la muerte, que es un sufrimiento mucho mayor.

—En la mentalidad occidental —observé—, la paciencia y la tolerancia se consideran ciertamente virtudes, pero cuando uno se ve acosado directamente por los demás, cuando alguien nos causa un daño, responder con «paciencia y tolerancia» parece transmitir una impresión de debilidad, de pasividad.

El Dalai Lama negó con un gesto de la cabeza.

—Puesto que la paciencia y la tolerancia surgen de la capacidad para mantenerse firmes y no dejarse abrumar por las situaciones o condiciones adversas a las que uno tenga que enfrentarse, no deberíamos ver tales virtudes como una señal de debilidad o de aceptación de la situación, sino más bien como una señal de fortaleza, que procede de una profunda capacidad para mantenernos firmes. Responder a una situación difícil con paciencia y tolerancia en lugar de reaccionar con cólera y odio, supone ejercer una contención activa, la cual procede de una mente fuerte y disciplinada.

»Claro que al hablar de paciencia puede haber, como en la mayoría de las cosas, tipos positivos o negativos de paciencia. La impaciencia no siempre es mala. Puede ayudarnos, por ejemplo, a decidirnos a emprender una acción. Incluso en las tareas cotidianas, como limpiar la habitación, si se tiene demasiada paciencia, es posible que uno actúe demasiado lentamente y limpie poco. O la impaciencia por alcanzar la paz mundial, que puede ser ciertamente positiva. Pero en situaciones difíciles y agresivas, la paciencia ayuda a mantener la fuerza de voluntad y contribuye a sostenernos.

Cada vez más animado, a medida que ahondaba en su análisis de la paciencia, el Dalai Lama añadió:

—Creo que hay una muy estrecha conexión entre humildad y paciencia. La humildad supone que, teniendo capacidad para adoptar una postura de mayor enfrentamiento, de tomar represalias si se desea, se decida deliberadamente no hacerlo. Eso es lo que consideraría verdadera humildad. Creo que la verdadera tolerancia o paciencia tiene un componente de autodisciplina y control: darse cuenta de que se podría haber actuado de otro modo, de que se podría haber adoptado una actitud más agresiva, pero se decidió no hacerlo. Por otro lado, verse obligado a una respuesta pasiva porque se tiene un sentimiento de impotencia o incapacidad, no puede ser considerado una verdadera humildad: en todo caso, una cierta mansedumbre, pero no es verdadera tolerancia.

»Al decir que debemos aprender tolerancia hacia quienes nos hacen daño, no hay que malinterpretarlo como que deberíamos aceptar mansamente lo que hayan hecho contra nosotros. —El Dalai Lama hizo una pausa y se echó a reír—. Quizá, si fuera necesario, la mejor respuesta, la más prudente, sería echar a correr y poner muchos kilómetros por medio.

—Echar a correr no siempre evita que nos causen daño.

—Sí, eso es cierto —asintió—. En ocasiones, podemos encontrarnos con situaciones que exijan contramedidas firmes. Creo, sin embargo, que se puede adoptar una postura fuerte, e incluso tomar contramedidas enérgicas a partir de un sentimiento de compasión o de un sentido de la preocupación por el otro, antes que por cólera. Una de las razones por las que hay que adoptar una actitud enérgica contra alguien es que si se deja pasar lo sucedido, sea cual fuere el daño o el delito que se haya cometido, se corre el peligro de dejar que esa persona se habitúe de un modo muy negativo, algo que, en realidad, provocará el deterioro de esa persona y a largo plazo será muy destructivo para ella. En consecuencia, a veces es necesario tomar contramedidas muy firmes, pero sin dejar de pensar que se hace a partir de la compasión y la preocupación por esa persona. Por ejemplo, en nuestras relaciones con China, aunque existen probabilidades de que surjan sentimientos de odio, nos probamos deliberadamente a nosotros mismos y tratamos de reducirlos, al tiempo que intentamos desarrollar un sentimiento de compasión hacia los chinos. Creo que, en último término, las contramedidas pueden ser más efectivas sin sentimientos de cólera y odio.

»Hemos explorado formas de desarrollar paciencia y tolerancia para desprendernos de la cólera y el odio; se trata de métodos como utilizar el razonamiento para analizar la situación, adoptar una perspectiva más amplia y buscar otros ángulos desde los que considerarla. Un resultado final, un producto de la paciencia y la tolerancia, es el perdón. Cuando se es realmente paciente y tolerante, el perdón se produce de modo natural.

»Aunque quizá haya experimentado muchos episodios negativos en el pasado, con el desarrollo de la paciencia y la tolerancia es posible desprenderse de su cólera y resentimiento. Si se analiza la situación, se da uno cuenta de que el pasado es el pasado, de modo que no sirve de nada sentir cólera y odio, ya que eso no cambiará la situación, sino que únicamente provocará una perturbación dentro de la propia mente y causará una continuada desdicha. Claro que se puede recordar lo ocurrido. Olvidar y perdonar son dos cosas muy distintas. No hay nada erróneo en recordar esos acontecimientos negativos; si se tiene una mente aguda, siempre se recuerda. —Se echó a reír—. Creo que Buda lo recordaba todo. Pero con el desarrollo de la paciencia y la tolerancia, es posible desprendernos de los sentimientos negativos asociados a los acontecimientos.

## Meditaciones sobre la cólera

En muchas de estas entrevistas, el principal método del Dalai Lama para superar la cólera y el odio suponía el uso del razonamiento y el análisis para investigar sus causas, así como la comprensión para combatir estos estados mentales nocivos. En cierto sentido, este enfoque puede considerarse como el uso de la lógica para neutralizar la cólera y el odio por un lado y para cultivar los antídotos de la paciencia y la tolerancia por el otro. Pero ésta no es su única técnica. En sus charlas públicas complementó su análisis ofreciendo instrucciones sobre cómo realizar las dos meditaciones siguientes, sencillas pero que resultan efectivas como ayuda.

### Meditación sobre la cólera: ejercicio 1

—Imaginemos una situación en la que alguien a quien se conoce muy bien, alguien que está cerca de nosotros o nos es muy querido, pierde el control de sí mismo. Supongamos también que ocurre durante una relación muy enojosa o en una situación en la que sucede algo que nos altera personalmente. La persona está tan enfadada que pierde la compostura, emite vibraciones muy negativas y hasta llega a golpearse a sí misma o a romper objetos.

»Reflexionemos sobre los efectos inmediatos de la cólera sobre dicha persona. Se observará que se produce una transformación física. Esa persona a la que usted se siente próximo, que le gusta, la misma que le proporcionó placer en el pasado, se transforma ahora en alguien feo, incluso físicamente hablando. La razón por la que creo que se debe visualizar esta situación con alguna otra persona es porque resulta más fácil ver los defectos de los demás que los propios. Así pues, utilizando su imaginación, efectúese esta visualización durante unos minutos.

»Al final de ella, analice la situación y enumere sus aplicaciones a su propia experiencia. Comprenda que en muchas ocasiones usted también se ha encontrado en esta misma situación. Tome la resolución de no permitirse jamás caer en un estado tan intenso de cólera y odio porque, si lo hace, se encontrará en la misma situación. También sufrirá las consecuencias: perderá la paz mental y la compostura, adoptará ese aspecto físico tan feo, etcétera. Así que, una vez que haya tomado la decisión, y durante los últimos minutos de la meditación, concentre la atención de la mente sobre esa conclusión; entonces, sin analizar nada más, deje que su mente mantenga la resolución de no caer nunca bajo la influencia de la cólera y el odio.

## Meditación sobre la cólera: ejercicio 2

—Realicemos otra meditación utilizando la visualización. Empiece por visualizar a alguien a quien deteste, alguien que le moleste, que le cause multitud de problemas o que le ponga los nervios de punta. A continuación, imagínese una situación en la que la persona le irrite, haga algo que le ofenda o le moleste. En su imaginación, al visualizarlo, permitirá que surja su respuesta natural; limítese a dejarla fluir con naturalidad. Perciba entonces cómo se siente, observe si eso acelera los latidos de su corazón, etcétera. Examine si se siente cómodo o incómodo; vea si puede sentirse inmediatamente más pacífico o si desarrolla una actitud mental de incomodidad. Juzgue por sí mismo, investigue. Así, durante unos minutos, tres o cuatro quizá, juzgue y experimente. Y luego, al final de su investigación, si descubre que «Sí, no sirve de nada permitir que se desarrolle la irritación, porque pierdo inmediatamente mi paz mental», dígase a sí mismo: «Nunca volveré a hacerlo en el futuro». Consolide esa determinación. Finalmente, y durante los últimos minutos del ejercicio, centre por completo la mente en esa conclusión o determinación. Esa es la meditación.

El Dalai Lama se detuvo por un momento y observó al público que llenaba la sala, compuesto por sinceros estudiantes que se preparaban para practicar esta meditación. Entonces, se echó a reír y añadió:

—Creo que si tuviera la facultad cognitiva, la habilidad o la clara conciencia necesaria para leer las mentes de las personas, se produciría aquí un gran espectáculo.

Hubo una oleada de risas que se extendieron por la sala y que se apagaron con rapidez, mientras los presentes iniciábamos la meditación, empezando por el serio asunto de batallar contra la cólera.

# 14

## Cómo afrontar la ansiedad
## y aumentar la autoestima

S E HA CALCULADO QUE, durante el transcurso de una vida, al menos uno de cada cuatro estadounidenses padecerán un grado de ansiedad o preocupación lo bastante grave como para confirmar los diagnósticos sobre trastornos de este tipo. Pero incluso aquellos que no sufran nunca un estado patológico o incapacitador de ansiedad, experimentarán en uno u otro momento niveles excesivos de preocupación que no sirven a ningún propósito útil y que no hacen sino resquebrajar su felicidad e interferir en su capacidad para alcanzar objetivos.

El cerebro humano está equipado con un complicado sistema de registro de emociones como temor y preocupación. Este sistema cumple una función importante: nos moviliza para responder al peligro, poniendo en movimiento una compleja secuencia de acontecimientos bioquímicos y fisiológicos. La faceta adaptativa de la preocupación es que nos permite anticiparnos al peligro y tomar medidas. Por tanto, algunos tipos de temor y un razonable nivel de preocupación pueden ser saludables. No obstante, estos sentimientos pueden persistir y hasta experimentar una escalada sin que haya una auténtica amenaza; cuando llegan a ser desproporcionadamente intensos respecto a cualquier peligro real, terminan por perder su cualidad. Lo mismo que la cólera y el odio, la ansiedad y la preocupación excesivas pueden tener efectos devastadores sobre la mente y el cuerpo, convertirse en fuente de mucho sufrimiento psicológico e incluso de enfermedades físicas.

Al llegar a cierto nivel, la ansiedad crónica puede dificultar el juicio, aumentar la irritabilidad y obstaculizar la eficacia. También puede conducir a problemas físicos, incluido el debilitamiento del sistema inmunológico ante enfermedades cardíacas, trastornos gastrointestinales, fatiga, tensión y dolor muscular. Se ha demostrado, por ejemplo, que los trastornos de ansiedad provocaban atrofia del crecimiento en las niñas adolescentes.

Al buscar estrategias para afrontar la ansiedad debemos considerar que, como señala el Dalai Lama, hay muchos factores que contribuyen a ella. En algunos casos puede tener un fuerte componente biológico. Algunas personas parecen sufrir una cierta vulnerabilidad neurológica que les inclina a este estado. Recientemente, los científicos han descubierto un gen vinculado a personas con tendencia a la ansiedad y el pensamiento negativo, aunque no todos los casos de preocupación enfermiza son de origen genético, y hay pocas dudas de que el aprendizaje y el condicionamiento tienen un papel importante en su etiología.

Pero, al margen de que nuestra ansiedad sea predominantemente de origen físico o psicológico, lo cierto es que podemos hacer algo. En los casos más graves de ansiedad, la medicación suele ser una parte del tratamiento eficaz. Pero la mayoría de nosotros, acuciados por preocupaciones y ansiedades cotidianas, no necesitamos medicación. Generalmente, los expertos en el campo del control de la ansiedad tienen la sensación de que lo mejor es un enfoque multidimensional. Eso incluiría, en primer lugar, descartar una patología subyacente como causa de nuestra ansiedad. También resulta útil mejorar nuestra salud física mediante dieta y ejercicio adecuados. Tal como ha resaltado el Dalai Lama, cultivar la compasión y profundizar nuestra conexión con los demás puede promover una buena higiene mental y ayudar a combatir los estados de ansiedad.

No obstante, en la búsqueda de estrategias para superar la ansiedad, hay una técnica que destaca como particularmente efectiva: la intervención cognitiva. Se trata de uno de los principales métodos utilizados por el Dalai Lama para superar las preocupaciones y ansiedades diarias. Esta técnica, en la que se aplica el mismo procedimiento utilizado para la cólera y el odio, supone enfrentarse activamente a los pensamientos generadores de ansiedad y sustituirlos con pensamientos y actitudes positivas y bien razonadas.

Debido a la omnipresencia de la ansiedad en nuestra cultura, sentía verdaderas ganas de plantearle el tema al Dalai Lama para saber cómo lo afrontaba. Precisamente aquel día tuvo un programa particularmente apretado y noté cómo aumentaba mi propio nivel de ansiedad cuando, momentos antes de nuestra entrevista, fui informado por su secretario de que nuestra conversación tendría que ser breve. Presionado por el tiempo y preocupado por no poder abordar todos los temas que deseaba discutir, me senté rápidamente y empecé a preguntar, volviendo a mi tendencia de tratar de obtener respuestas sencillas por su parte.

—Como sabe, el temor y la ansiedad pueden ser un obstáculo para alcanzar nuestros objetivos, tanto si son externos como si son de mejora interior. En psiquiatría tenemos varios métodos para abordar estos problemas, pero siento curiosidad por saber cuál es, desde su punto de vista, la mejor forma de superarlos.

Resistiéndose a mi invitación de simplificar en exceso la cuestión, el Dalai Lama contestó con su característico enfoque meticuloso.

—Al enfrentarnos al miedo, creo que lo primero que tenemos que hacer es reconocer que hay muchos tipos distintos de él. Algunas clases de temor son muy genuinas y se basan en razones sólidas, como el temor a la violencia o al derramamiento de sangre. Es evidente que esas cosas son temibles. También existe el temor a las consecuencias a largo plazo de nuestras acciones negativas, el temor al sufrimiento, a nuestras emociones negativas, como el odio. Creo que estas son clases correctas de temor, ya que contribuyen a situarnos en el camino correcto y nos ayudan a convertirnos en personas de corazón cálido. —Se detuvo un momento para reflexionar y musitó—: Aunque en cierto sentido estas son clases de temor, creo que quizá haya alguna diferencia entre temer estas cosas y el hecho de que la mente perciba la naturaleza destructiva de ellas...

De nuevo calló un momento, como si deliberase algo consigo mismo, mientras yo lanzaba miradas furtivas hacia mi reloj. Estaba claro que él no se sentía presionado por el tiempo como yo. Finalmente, siguió hablando con una actitud pausada.

—Por otro lado, algunas clases de temor son subjetivas; se basan principalmente en proyecciones mentales; por ejemplo, los temores infantiles —se echó a reír—; cuando yo era joven y pasaba por un lugar oscuro, especialmente por algunos de los salones oscuros del Potala, sentía miedo; éste era consecuencia de una proyección mental. O como cuando era joven y los barrenderos y las personas que me cuidaban me advertían siempre que había un búho que atrapaba a los niños pequeños y se los comía —el Dalai Lama se echó a reír todavía más—. ¡Y yo me lo creía!

»Hay otros tipos de temor basados en la subjetividad —siguió diciendo—. Cuando, por ejemplo, se tienen sentimientos negativos debido a la propia situación psicológica, se pueden proyectar tales sentimientos sobre otro, que entonces se nos muestra como negativo y hostil. Como consecuencia de ello, se experimenta miedo. Creo que esa clase de temor está relacionada con el odio y surge como creación mental. Así que, al tratar con el temor, hay que utilizar primero la facultad de razonar y tratar de descubrir si tiene una base lógica.

—Bueno —le dije—, en lugar de un temor intenso o concentrado en un individuo o situación específica, muchos de nosotros nos sentimos agobiados por una preocupación más difusa acerca de una amplia variedad de problemas cotidianos. ¿Tiene alguna sugerencia acerca de cómo tratar eso?

El Dalai Lama asintió con la cabeza, antes de responder.

—Uno de los métodos que personalmente me parecen útiles para reducir esa clase de preocupación consiste en cultivar el siguiente pensamiento: si la situación o problema puede remediarse, no hay necesidad de preocuparse. En otras palabras, si existe una solución o una forma de salir de la dificultad, no habría necesidad de sentirse abrumado por ella. La acción apropiada, por tanto, es la de buscar su solución. Es más sensato dedicar la energía a concentrarse en la solución que preocuparse por el problema. Por otro lado, si no hay forma de encontrar una solución, si no hay posibilidad de resolverlo, tampoco sirve de nada preocuparnos por ella, puesto que, de todos modos, tampoco podemos hacer nada. En tal caso, cuanto antes se acepte ese hecho, tanto más fáciles serán las cosas. Esta fórmula, claro está, supone abordar directamente el problema. De otro modo, no podremos descubrir si hay una solución o no.

—¿Y si el pensar así no contribuye a aliviar la ansiedad?

—Bueno, entonces quizá haya necesidad de reflexionar un poco más sobre estos pensamientos y reforzar estas ideas, para recordarlas. En cualquier caso, creo que este enfoque puede ayudar a reducir la ansiedad y la preocupación, lo que no significa que vaya a funcionar siempre. Si uno se enfrenta con una ansiedad, creo que hay que considerar la situación específica que plantea. Hay diferentes tipos de ansiedad y diferentes causas. Algunos tipos de ansiedad o de nerviosismo podrían tener causas biológicas; a algunas personas, por ejemplo, les sudan las palmas de las manos, lo que, según el sistema médico tibetano, indicaría la existencia de un desequilibrio en los niveles de la energía sutil. Algunos tipos de ansiedad pueden tener raíces biológicas, lo mismo que algunos tipos de depresión, para los que quizá sea útil el tratamiento médico. Así que, para afrontar la ansiedad con eficacia, hay que ver de qué clase es y cuál es su causa.

»Lo mismo que sucede con el temor, puede haber diferentes tipos de ansiedad. Uno de ellos, que me parece común, sería el temor al ridículo, o el temor a que los demás piensen mal de uno...

—¿Ha experimentado alguna vez esa clase de ansiedad o nerviosismo? —le interrumpí.

El Dalai Lama lanzó una sonora risotada y respondió sin vacilar:

—¡Oh, sí!

—¿Puede darme un ejemplo?

Pensó un momento, antes de contestar.

—En 1954, por ejemplo, en China, el primer día de mi entrevista
con el presidente Mao Zedong, y también en otra ocasión en que me
reuní con Zhou Enlai. En aquellos tiempos yo no conocía el protocolo y los convencionalismos adecuados. Entre los chinos, el procedimiento habitual durante una reunión es iniciarla con alguna conversación de circunstancias para luego pasar a discutir el asunto que nos
ocupa. Pero en aquella ocasión estaba tan nervioso que apenas me
senté abordé el asunto. —El Dalai Lama se echó a reír al recordarlo—. Recuerdo que mi traductor, un comunista tibetano que era muy
fiable y muy buen amigo mío, me miró, se echó a reír y más tarde
bromeó conmigo sobre ello.

»Creo que incluso ahora, poco antes de iniciar una charla o una
enseñanza ante el público, siempre experimento un poco de ansiedad,
por lo que alguno de mis ayudantes me pregunta: "Si es así, ¿por qué
habéis aceptado la invitación para esta conferencia?".

Se echó a reír de nuevo.

—¿Cómo afronta personalmente esta clase de ansiedad? —le pregunté.

Me contestó con serenidad, con un tono quejumbroso y nada afec-
tado en su voz.

—No lo sé... —Hizo una pausa y permanecimos en silencio durante largo rato, mientras él parecía reflexionar cuidadosamente. Finalmente, dijo—: Creo que la honradez y una motivación adecuada
son las claves para superar esa clase de temor y ansiedad. Si me siento ansioso antes de dar una charla, procuro recordar cuál es la razón
principal de ella y me digo que el objetivo de la conferencia es beneficiar al menos a algunas personas, no demostrar mis conocimientos.

En consecuencia, explico únicamente aquellas cosas que sé; las cosas que no comprendo suficientemente, no importan, porque me limito a decir: «Para mí, este tema es muy difícil». No hay razón alguna para ocultar nada o para fingir. Desde ese punto de vista, con esa motivación, no tengo que preocuparme por hacer el ridículo o por lo que piensen los otros de mí. Así pues, he descubierto que la motivación sincera actúa como un antídoto capaz de reducir el temor y la ansiedad.

—Bueno, a veces la ansiedad supone algo más que simplemente hacer el ridículo. Es más el temor al fracaso, una sensación de incompetencia...

Reflexioné un momento, considerando hasta qué punto podía revelar información personal.

El Dalai Lama me escuchó con atención, asintiendo en silencio mientras yo hablaba. No estoy seguro de lo que sucedió. Quizá fue su actitud de amable comprensión, pero lo cierto es que, antes de que me diera cuenta, había pasado de hablar de los temas generales a solicitarle su consejo acerca de cómo afrontar mis propios temores y ansiedades.

—No sé..., a veces, con mis pacientes, por ejemplo... Algunos son muy difíciles; son casos en los que no hay un diagnóstico claro como depresión o alguna otra enfermedad que se remedia fácilmente. Hay algunos pacientes con graves trastornos de personalidad; por ejemplo, que no responden a la medicación y que no han conseguido realizar progresos en la psicoterapia a pesar de mis esfuerzos. En ocasiones no sé qué hacer con estas personas, cómo ayudarlas. Parece como si no fuera capaz de captar lo que sucede en ellas. Y eso hace que me sienta perplejo, casi como un inútil —me quejé—. Me siento incompetente y eso crea cierto temor, ansiedad.

Él me escuchó solemnemente y luego me preguntó con voz amable:

—¿Diría que es capaz de ayudar al setenta por ciento de sus pacientes?

—Eso por lo menos —contesté.

Me dio unas suaves palmaditas en la mano al tiempo que decía:

—Entonces creo que no hay ningún problema. Si sólo fuera capaz de ayudar al treinta por ciento de sus pacientes, le sugeriría que se buscara otra profesión. Pero creo que lo está haciendo bien. También a mí acude la gente en busca de consejo. Muchos buscan milagros, curas milagrosas y todo eso y, naturalmente, no puedo ayudarles. Pero creo que lo principal es la motivación, tener una sincera inclinación a ayudar. Entonces uno se limita a hacer las cosas lo mejor que puede y no hay que preocuparse por nada más.

»En mi caso, por ejemplo, a veces se producen situaciones tremendamente delicadas, lo que supone una pesada responsabilidad. Creo que lo peor es cuando la gente deposita demasiada confianza en mí, en circunstancias en las que algunas cosas están fuera de mi alcance. En esos casos se desarrolla a veces algo de ansiedad, claro, pero vuelvo una vez más a la motivación: procuro recordarme a mí mismo que, por lo que se refiere a la mía propia, soy sincero y he hecho las cosas lo mejor que he podido. Entonces, mi fracaso significa que la situación no estaba al alcance de mis esfuerzos. La motivación sincera elimina por lo tanto el temor y proporciona confianza en uno mismo. Por otro lado, si la motivación fundamental de alguien es la de engañar a otro, se siente realmente nervioso si fracasa. Pero si se cultiva una motivación compasiva no hay por qué lamentarse si se falla.

»Así que, una y otra vez, creo que la motivación adecuada es una especie de protectora contra estos sentimientos de temor y ansiedad. Por eso es tan importante la motivación. De hecho, todas las acciones humanas pueden verse en términos de movimiento y lo que se mueve por detrás de todas las acciones es lo que las impulsa. Si se desarrolla una motivación pura y sincera, si se está motivado por el deseo de ayudar, sobre la base de la amabilidad, la compasión y el respeto, se puede desarrollar cualquier trabajo en cualquier ámbito y funcionar con mayor efectividad, con menor miedo o preocupación, sin temor a lo que digan los demás o si al final se tiene éxito y se puede alcanzar el objetivo. Aunque no logres alcanzar tu objetivo, puedes sentirte bien con el simple hecho de haber realizado el esfuerzo.

Pero si tienes una mala motivación, aunque la gente te alabe o alcances los objetivos que te habías propuesto, no te sentirás feliz.


Al analizar los antídotos contra la ansiedad, el Dalai Lama ofrece dos remedios, cada uno de los cuales funciona en un plano diferente. El primero implica combatir activamente la preocupación y dar sistemáticamente la vuelta a las cosas mediante la aplicación de un pensamiento dicotómico: recordar que si el problema tiene una solución no hay necesidad de preocuparse y si no la tiene, tampoco.

El segundo antídoto es un remedio de más amplio espectro. Supone la transformación de la propia motivación fundamental. Existe un contraste interesante entre el enfoque del Dalai Lama sobre la motivación humana y el de la ciencia y la psicología occidentales. Según hemos visto previamente, los estudiosos de la motivación han investigado los motivos normales, examinando las necesidades e impulsos, tanto instintivos como aprendidos. En este nivel, sin embargo, el Dalai Lama ha centrado su atención en desarrollar y utilizar los impulsos aprendidos para intensificar el propio «entusiasmo y determinación». En algunos aspectos, esto es similar al punto de vista de muchos expertos occidentales; la diferencia estriba en que el Dalai Lama trata de crear determinación y entusiasmo para que la persona adopte comportamientos sanos y elimine los rasgos negativos, en lugar de resaltar el éxito mundano, lograr dinero o poder. Pero quizá la diferencia más notable sea que mientras que los «especialistas en motivación» se ocupan de promover las motivaciones ya existentes para alcanzar el éxito mundano, el principal interés del Dalai Lama por la motivación humana radica en reconfigurarla y cambiarla, de modo que se base en la compasión y la amabilidad.

En el sistema del Dalai Lama para entrenar la mente y alcanzar la felicidad, cuanto más cerca esté uno de sentirse motivado por el altruismo, tanto menor será el temor que experimentará ante circunstancias que provoquen incluso una ansiedad extrema. Pero ese mismo principio puede aplicarse también a cosas más pequeñas, incluso cuando la propia motivación no es del todo altruista. Retroceder un paso para asegurarse de que uno no tiene intención de causar daño y de que la propia motivación es sincera, contribuye a reducir la ansiedad en situaciones corrientes.

No mucho después de la conversación anterior con el Dalai Lama, almorcé con un grupo de personas entre las que había un joven a quien no conocía, estudiante de una universidad local. Durante el almuerzo, alguien preguntó cómo iba mi serie de entrevistas con el Dalai Lama. Después de escuchar con atención mi descripción de la idea de la «motivación sincera como antídoto frente a la ansiedad», el estudiante declaró que siempre se había sentido tímido y muy nervioso en las relaciones sociales. Al pensar en cómo podía aplicar esta técnica para superar su ansiedad, el estudiante murmuró:

—Bueno, todo eso es muy interesante, pero me imagino que la parte difícil es la de tener esa elevada motivación de compasión y amabilidad.

—Supongo que eso es cierto —tuve que admitir.

La conversación se desvió hacia otros temas y terminamos de almorzar. A la semana siguiente me encontré por casualidad con el mismo estudiante universitario, en el mismo restaurante. Se me acercó alegremente y me dijo:

—¿Recuerda que el otro día hablamos sobre motivación y ansiedad? Pues bien, lo probé y realmente funciona. Conozco a una joven que trabaja en unos grandes almacenes, a la que he visto muchas veces. Siempre he querido invitarla a salir, pero la chica agravaba mi timidez, así que no me atrevía a hablar con ella. El otro día fui a los grandes almacenes, pero esta vez empecé a pensar en mi motivación para pedirle que saliera conmigo. El motivo, claro está, era que quería salir con ella. Pero detrás estaba el deseo de encontrar a alguien a quien amar y que me amara. Al pensar en ello, me di cuenta de que no había nada de malo en ello, de que mi motivación era sincera; no deseaba causarle ningún daño, ni a ella ni a mí mismo, sino sólo que nos sucedieran cosas buenas. El simple hecho de tener eso en cuenta y de recordármelo unas cuantas veces pareció ayudarme; me proporcionó el valor para entablar una conversación con ella. El corazón me latía con fuerza, pero yo me sentía estupendamente al ver que por fin había encontrado valor para hablar con ella.

—Me alegro mucho de saberlo —le dije—. ¿Y qué ocurrió?

—Bueno, resulta que ya tiene novio formal. Me sentí un tanto desilusionado, pero está bien. Me sentí estupendamente por el simple hecho de haber podido superar mi timidez. Eso me permitió comprender que si me aseguro de que no hay nada malo en mi motivación y lo recuerdo, eso me puede ayudar la próxima vez que me encuentre en la misma situación.

## La honradez como antídoto contra el bajo nivel de autoestima o la exagerada seguridad en sí mismo

Una saludable seguridad en uno mismo es un factor esencial para alcanzar nuestros objetivos. Esto se aplica tanto si nuestro objetivo consiste en lograr un título universitario como si se trata de crear un negocio con éxito, disfrutar de una relación satisfactoria o disponer la mente para ser más feliz. Un bajo nivel de confianza en nosotros mismos inhibe nuestros esfuerzos para seguir adelante, afrontar los desafíos y hasta para asumir algunos riesgos cuando sea necesario para la consecución de nuestros objetivos. La seguridad exagerada en uno mismo también es igualmente peligrosa. Quienes tienen un sentido desmesurado de sus propias capacidades y logros se hallan sometidos continuamente a la frustración, la desilusión y la rabia cuando la realidad se entromete y el mundo no avala la visión idealizada que tienen de sí mismos. Estas personas siempre se encuentran a un paso de hundirse en la depresión cuando no logran estar a la altura de su imagen idealizada. Además, su megalomanía les conduce a menudo a experimentar una sensación de tener derecho a todo y a una especie de arrogancia que les distancia de los demás y les impide establecer relaciones emocionalmente satisfactorias. Finalmente, el hecho de sobrestimar sus capacidades puede conducirles a correr riesgos peligrosos. Según nos dice el inspector Callahan, en vena filosófica en la película *Harry el sucio*, mientras observa cómo el malo de la película, exageradamente seguro de sí mismo, termina por volarse la tapa de los sesos: «Un hombre tiene que conocer sus limitaciones».

En la tradición psicoterapéutica occidental, los teóricos han relacionado tanto el bajo como el alto nivel de seguridad en uno mismo con perturbaciones en la imagen propia y han investigado para descubrir las raíces de estas perturbaciones en la educación que se recibe durante la infancia. Muchos teóricos consideran la imagen, tanto deficiente como exagerada, como una moneda de dos caras, de las que la exagerada, por ejemplo, es una defensa inconsciente contra las inseguridades y sentimientos negativos sobre uno mismo. Los psicoterapeutas de orientación psicoanalítica han formulado complejas teorías acerca de cómo se producen las distorsiones de la imagen. Explican cómo se forma a medida que la persona interioriza la información que recibe de su ambiente. Describen cómo las personas desarrollan sus conceptos sobre ellas mismas al incorporar mensajes explícitos e implícitos de sus padres, y cómo pueden ocurrir distorsiones cuando las primeras interacciones con quienes las cuidan no son ni saludables ni formativas.

Cuando las perturbaciones en la propia imagen son lo bastante graves como para causar problemas significativos en su vida, muchas de esas personas recurren a la psicoterapia. Los psicoterapeutas orientados hacia la percepción interior se concentran en ayudar a los pacientes a comprender las disfunciones de sus relaciones infantiles, en las que se encuentra el origen del problema, y en proporcionar información apropiada y un ambiente terapéutico en el que los pacientes reestructuren y reparen paulatinamente su imagen negativa. Por otro lado, el Dalai Lama centra la atención en «extraer la flecha», más que en dedicar tiempo a preguntarse quién la disparó. En lugar de plantearse por qué la gente tiene un nivel de autoestima bajo o elevado, nos plantea un método para combatir directamente estos estados negativos de la mente.

En las décadas recientes, la naturaleza del «yo mismo» ha sido uno de los temas más investigados en el campo de la psicología. En la «década del yo», la de los años ochenta, por ejemplo, se publicaban cada año miles de artículos en los que se exploraban temas relacionados con la autoestima y la seguridad en uno mismo. Pensando en ello, abordé el tema con el Dalai Lama:

—En una de nuestras conversaciones, habló usted de la humildad como un rasgo positivo y explicó cómo estaba vinculada con el cultivo de la paciencia y la tolerancia. En la psicología occidental, y en nuestra cultura en general, suele pasarse por alto el ser humildes en favor del desarrollo de cualidades como altos niveles de autoestima y de seguridad en nosotros mismos. De hecho, en Occidente se da mucha importancia a estos atributos. Me preguntaba si usted tiene la sensación de que los occidentales tendemos a veces a dar demasiado valor a la seguridad en nosotros mismos, a ser excesivamente indulgentes o estar demasiado centrados en nuestras vidas.

—No necesariamente —contestó el Dalai Lama—, aunque el tema puede ser bastante complicado. Los grandes maestros espirituales, por ejemplo, son aquellos que han hecho un voto o que han asumido la determinación de anular sus estados mentales negativos para promover y producir la felicidad definitiva en todos los seres sensibles. Tienen esa visión y esa aspiración, que requiere un tremendo sentido de la seguridad en sí mismos; la cual puede ser muy importante porque transmite una cierta osadía que ayuda a alcanzar grandes objetivos. En cierto modo, parecen arrogantes, aunque no de una forma negativa. Se basan en razones sanas. Así pues, yo los consideraría personas muy valientes, casi héroes.

—Lo que en un gran maestro espiritual puede parecer superficialmente una arrogancia, quizá sea una expresión de seguridad en sí mismo y de valentía —admití—. Pero, para la gente normal, en circunstancias cotidianas, lo más probable es que suceda lo contrario, que alguien que parezca tener mucha seguridad en sí mismo y un alto nivel de autoestima, no sea en realidad más que simplemente un arrogante. Tengo entendido que, según el budismo, la arrogancia se define como una de las «emociones básicas del sufrimiento». De hecho, he leído que, según un sistema, hay siete tipos diferentes de arrogancia. Se considera por tanto muy importante evitar o superar la arrogancia. Pero también lo es el tener un fuerte sentido de seguridad en uno mismo. Existe una línea muy tenue entre ambas. ¿Cómo saber la diferencia entre ellas y cultivar la una al tiempo que se elimina la otra?

—A veces es bastante difícil distinguir entre seguridad en sí mismo y arrogancia —admitió el Dalai Lama—. Quizá una forma sea ver si el sentimiento es sano o no. Se puede tener una idea de superioridad muy sana en la relación con otros, que puede estar muy justificada y ser válida. Y también puede tenerse una seguridad exagerada en uno mismo, totalmente infundada. Eso sería arrogancia. Así pues, en términos de su estado fenomenológico, pueden ser similares...

—Pero una persona arrogante siempre tiene la sensación de poseer una base válida para...

—Es cierto, es cierto —admitió el Dalai Lama.

—¿Cómo distinguir, entonces, entre las dos? —insistí.

—Creo que, a veces, es algo que sólo puede juzgarse retrospectivamente, ya sea desde la perspectiva del propio individuo o desde la de una tercera persona. —El Dalai Lama hizo una pausa y bromeó—: Quizá la persona en cuestión tuviera que presentarse ante los tribunales para descubrir si es un ejemplo de orgullo exagerado o de arrogancia —exclamó riendo.

»Al establecer la distinción entre engreimiento y seguridad en uno mismo —siguió diciendo—, cabría pensar en términos de las consecuencias de la propia actitud; generalmente, el engreimiento y la arrogancia tienen consecuencias negativas, mientras que una sana seguridad en uno mismo tiene consecuencias positivas. Así pues, cuando hablamos de "seguridad en sí mismo", tenemos que examinar el sentido subyacente del "sí mismo". Creo que se pueden establecer dos tipos. Un sentido del yo mismo o "ego" se preocupa únicamente por la realización del propio interés, de los deseos egoístas, con un completo desinterés hacia el bienestar de los demás. El otro tipo de ego o sentido de uno mismo se basa en una verdadera preocupación por los demás y el deseo de rendirles un servicio. Para realizar ese deseo de servir hay que tener un fuerte sentido y una gran seguridad en uno mismo. Esa clase de seguridad es la que tiene consecuencias positivas.

—Creo que antes mencionó que una forma de ayudar a reducir la arrogancia o el orgullo, si una persona reconociera el orgullo como un defecto y deseara superarlo —comenté—, sería considerar el propio sufrimiento, reflexionar sobre todas las formas en las que nos hallamos sometidos o somos proclives a él. Además de considerar el propio sufrimiento, ¿existe alguna otra técnica o antídoto para trabajar contra el orgullo?

—Un antídoto consiste en reflexionar sobre la diversidad de las disciplinas sobre las que quizá no se tengan conocimientos —contestó—. Por ejemplo, en el sistema educativo moderno hay multitud de disciplinas. Pensar en tantos campos de los que uno es ignorante, puede ayudarnos a superar el orgullo.

El Dalai Lama dejó de hablar y, convencido de que eso era todo lo que tenía que decir al respecto, empecé a rebuscar en mis notas para pasar al siguiente tema. De repente, volvió a hablar con un tono reflexivo.

—Mire, hemos hablado de desarrollar una saludable seguridad en uno mismo... Creo que quizá honradez y seguridad en uno mismo están estrechamente relacionadas.

—¿Se refiere a ser honrado con uno mismo acerca de cuáles son las propias capacidades, etcétera? ¿O se refiere a ser honrado con los demás? —pregunté.

—Ambas cosas —contestó—. Cuanto más honrado sea uno, cuanto más abierto, menos temor tendrá, porque no hay ansiedad ante el hecho de verse expuesto o revelarse ante los demás. Así pues, creo que cuanto más honrado sea uno, mayor seguridad en sí mismo tendrá...

—Me interesa explorar un poco más cómo afronta personalmente el tema de la seguridad en sí mismo —le dije—. Ha mencionado que la gente parece acudir a usted y espera que realice milagros. Lo someten a demasiada presión y tienen elevadas expectativas sobre usted. Aunque tenga una motivación adecuada, ¿no hace eso que sienta una cierta falta de confianza en sus capacidades?

—Creo que aquí hay que tener en cuenta lo que quiere decir al hablar de «falta de confianza» o de «poseer seguridad en uno mismo», en relación con un acto en concreto o con lo que sea. Para que alguien experimente falta de confianza en algo, es necesario que primero tenga la convicción de poder hacerlo, es decir, que está a su alcance; si algo está a su alcance y no puede hacerlo, se empieza a pensar: «Quizá yo no sea lo bastante bueno o competente, o no esté a la altura o algo parecido». En mi caso, sin embargo, darme cuenta de que no puedo realizar milagros no me produce ninguna pérdida de seguridad en mí mismo porque nunca pensé que tuviera esa capacidad. No espero poder actuar como los Budas plenamente iluminados, ser capaz de saberlo todo, de percibirlo todo o de hacer lo más correcto en todas las ocasiones. Así que cuando la gente se me acerca y me pide que la cure, que realice un milagro o algo así, en lugar de sentir falta de seguridad en mí mismo, sólo me siento bastante incómodo.

»Creo que, en general, ser honrado con uno mismo y con los demás sobre lo que se es y no se es capaz de hacer puede contrarrestar ese sentimiento de falta de seguridad.

»Sin embargo, hay ocasiones, como por ejemplo en las relaciones con China, en que me siento inseguro. Habitualmente, consulto estas situaciones con funcionarios y, en algunos casos, con personas que no lo son. Pregunto a mis amigos, y luego discuto la cuestión. Puesto que muchas de las decisiones se toman a partir de discusiones con varias personas, y no se adoptan precipitadamente, suelo sentirme bastante seguro de mí mismo y no hay razón para que lamente haberlas tomado.

La valoración honrada y sin temor alguno puede ser un arma poderosa contra las dudas o el bajo nivel de seguridad. La convicción del Dalai Lama de que esta clase de honradez actúa como un antídoto contra estados negativos de la mente ha sido efectivamente confirmada por una serie de recientes estudios en los que se demuestra con claridad que quienes tienen una visión realista y exacta de sí mismos tienden a gustarse más y a ser más seguros que los que tienen un conocimiento de sí deficiente o quizá inexacto.

Con el transcurso de los años, he visto a menudo al Dalai Lama ilustrar hasta qué punto la seguridad en sí mismo procede del hecho de ser honrado y claro con las propias capacidades. Me causó una gran sorpresa la primera vez que le oí decir, delante de una gran audiencia «No lo sé», en respuesta a una pregunta. A diferencia de lo que estaba acostumbrado a escuchar a los conferenciantes académicos o a los que se presentaban como autoridades, admitió su falta de conocimiento sin ambages, declaraciones justificativas o intentos por parecer que sabía algo soslayando el tema.

De hecho, pareció complacerse ligeramente al verse confrontado con una pregunta difícil para la que no tenía respuesta, y a menudo incluso bromeaba al respecto. Por ejemplo, una tarde, en Tucson, había hecho un comentario sobre un verso de lógica particularmente compleja perteneciente a la *Guía de la forma de vida del Bodhisattva*, de Shantideva. Se esforzó por recordarlo correctamente, se confundió y finalmente se echó a reír y dijo:

—¡Estoy confundido! Creo que es mejor dejarlo como está. Ahora bien, en el siguiente verso...

En respuesta a las risas apreciativas del público, aún se rió más y comentó:

—Hay una expresión para referirse a este enfoque; hace referencia a la comida de un anciano, una persona muy vieja, con los dientes muy deteriorados: se comen las cosas blandas; en cuanto a las duras, se dejan. —Sin dejar de reír, añadió—: Así que lo dejaremos como está por hoy.

En ningún instante se conmovió su suprema seguridad en sí mismo.

## Reflexión sobre nuestro potencial como antídoto contra el odio hacia uno mismo

Durante un viaje que hice a la India en 1991, dos años antes de la visita del Dalai Lama a Arizona, me reuní brevemente con él en su casa de Dharamsala. Aquella semana él había mantenido reuniones diarias con un distinguido grupo de científicos occidentales, físicos, psicólogos y maestros de meditación, en un intento por explorar la conexión entre la mente y el cuerpo, por comprender la relación entre la experiencia emocional y la salud física. Me reuní con el Dalai Lama a última hora de la tarde, después de una de sus sesiones con los científicos. Hacia el final de nuestra entrevista, el Dalai Lama preguntó:

—¿Sabe que durante esta semana he tenido varias reuniones con esos científicos?

—Sí.

—A lo largo de ellas ha surgido algo que me ha parecido muy sorprendente. Me refiero al concepto de odio hacia uno mismo. ¿Está usted familiarizado con ese concepto?

—Desde luego que sí. Lo sufre una proporción bastante alta de mis pacientes.

—Cuando los científicos empezaron a hablar del tema, al principio no estuve seguro de comprender correctamente el concepto. —Se echó a reír—. Pensé: «¿Odiarse a uno mismo? ¡Pero si nos queremos! ¿Cómo puede una persona odiarse a sí misma?». A pesar de que creía tener cierto conocimiento sobre cómo funciona la mente humana, esa idea del odio dirigido contra uno mismo me resultó completamente nueva. La razón por la que me pareció totalmente inconcebible es porque los budistas practicantes trabajamos mucho para superar nuestra actitud egocéntrica, nuestros pensamientos y motivaciones egoístas. Desde este punto de vista creo que nos queremos y apreciamos demasiado. Así que pensar en la posibilidad de que alguien no se apreciara e incluso se odiara a sí mismo, era bastante inconcebible. Como psiquiatra, ¿puede explicarme ese concepto y por qué ocurre?

Le describí brevemente mi visión profesional del origen del odio contra uno mismo. Le expliqué cómo la imagen que tenemos de nosotros está configurada por nuestros padres y nuestra educación, cómo captamos de ellos mensajes implícitos sobre nosotros a medida que crecemos y nos desarrollamos, y le perfilé las condiciones específicas en las que se desarrolla una imagen negativa. Entré en detalles sobre los factores que exacerban el odio contra uno mismo, como cuando nuestro comportamiento no logra estar a la altura de la imagen idealizada que tenemos de nosotros, y le describí algunas de las formas mediante las que el odio contra sí puede verse reforzado culturalmente, sobre todo entre algunas mujeres y las minorías. Mientras le explicaba estas cosas, el Dalai Lama siguió asintiendo reflexivamente, con una expresión burlona en el rostro, como si tuviera alguna dificultad para captar este concepto extraño para él.

Groucho Marx dijo humorísticamente en cierta ocasión: «Nunca ingresaría en un club que aceptara a tipos como yo». Respecto a esta visión negativa de sí hasta convertirla en una observación sobre la naturaleza humana, Mark Twain había dicho: «En lo más profundo de la intimidad de su propio corazón, ningún hombre tiene un respeto considerable por sí mismo». Tomando esta visión pesimista de la humanidad e incorporándola a las teorías psicológicas, el psicólogo humanista Carl Rogers afirmó: «La mayoría de la gente se desprecia a sí misma, se considera inútil y poco digna de ser querida».

Existe en nuestra sociedad una noción popular, compartida por la mayoría de psicoterapeutas contemporáneos, de que el odio contra uno mismo abunda en la cultura occidental. Aunque eso es cierto, afortunadamente no se halla tan extendido como creen muchos. Se trata, desde luego, de un problema común entre quienes acuden al psicoterapeuta; pero los psicoterapeutas tienen a veces una visión un tanto sesgada de las cosas, una tendencia a basar su concepción de la naturaleza humana en los individuos que acuden a sus consultas. La mayoría de los datos basados en pruebas experimentales han establecido, sin embargo, que la gente tiende a menudo (o al menos desearía tender) a verse bajo una luz favorable, a calificarse como «mejor que la media» cuando se le pregunta sobre las cualidades subjetivas y socialmente deseables.

Con todo, aunque el odio contra uno mismo no sea tan general como se cree comúnmente, puede seguir siendo un tremendo lastre para muchas personas. Me quedé tan sorprendido por la reacción del Dalai Lama como él ante el concepto. Su respuesta inicial puede ser muy reveladora y curativa.

Hay dos puntos relacionados con su notable reacción que merecen un examen más atento. El primero es, simplemente, que no estuviera familiarizado con la existencia del odio contra sí. La suposición subyacente de que este tipo de odio es un problema muy difundido ha generado la sensación de que se trata de un rasgo profundamente arraigado en la psique humana. Pero el hecho de que sea algo virtualmente desconocido en ciertas culturas, como en la cultura tibetana, nos recuerda que se trata de un estado mental problemático, como los otros estados mentales negativos que hemos analizado, y que no forma parte intrínseca de la mente humana. No se trata de algo con lo que hayamos nacido, que nos veamos obligados a arrastrar irrevocablemente, ni es una característica indeleble de nuestra naturaleza. Es algo que se puede eliminar. Darse cuenta de ello puede servir, por sí solo, para debilitar su poder, dándonos esperanza y reforzando nuestro compromiso de eliminarlo.

El segundo punto relacionado con la reacción inicial del Dalai Lama fue su respuesta: «¿Odiarse a uno mismo? ¡Pero si nos queremos!». Para aquellos que sufrimos este tipo de odio o que conocemos a alguien que lo sufre, esta respuesta puede parecer increíblemente ingenua. Pero si la examinamos más de cerca, encontramos verdades en ella. Hay muchas formas de sentir amor, y quizá la más pura y exaltada es el deseo total, absoluto e ilimitado de felicidad para otro; un deseo, sentido con el corazón, de que el otro sea feliz, al margen de que haga algo para causarnos daño o incluso de que nos guste o no. Ahora bien, en lo más profundo de nuestros corazones no cabe la menor duda de que todos y cada uno de nosotros queremos ser felices. En consecuencia, si nuestra definición de amor se basa en un verdadero deseo de que alguien sea feliz, cada uno de nosotros se ama efectivamente a sí mismo, cada uno de nosotros desea sinceramente la propia felicidad. En mi consulta me he encontrado a veces con casos extremos de odio hacia sí, hasta el punto de abrigar pensamientos recurrentes de suicidio. Pero incluso en estos casos, la voluntad de morir se basa en último término en el deseo del individuo (por distorsionado y equivocado que esté) de liberarse del sufrimiento, no de causarlo.

Así pues, quizá el Dalai Lama no se hallaba tan lejos de la verdad al expresar su convicción de que todos experimentamos un amor fundamental por nosotros mismos, lo cual sugiere la existencia de un poderoso antídoto contra este mal, ya que podemos contrarrestar los sentimientos de desprecio recordando que, por mucho que nos disgusten algunas de nuestras características, deseamos ser felices; ese es un tipo profundo de amor.


Durante una visita posterior a Dharamsala, volví a plantearle al Dalai Lama el tema del odio contra uno mismo. Para entonces ya se había familiarizado con el concepto y había empezado a pensar métodos para combatirlo.

—Desde el punto de vista budista —le expliqué—, estar en un estado depresivo, en un estado de desánimo, es una situación extrema que constituye claramente un obstáculo para alcanzar los propios objetivos. Este estado de odio contra uno mismo es incluso mucho más grave que el sentirse simplemente desanimado, y puede llegar a ser muy peligroso. Para los que practican el budismo, el antídoto contra el odio hacia sí sería reflexionar sobre el hecho de que todos los seres humanos, incluido uno mismo, tienen la naturaleza del Buda, la semilla o el potencial para alcanzar la perfección, la plena iluminación, sin que importe lo débil, pobre o llena de privaciones que pueda ser nuestra situación actual. Por tanto, los budistas que sufren de odio contra sí mismos, o que se detestan deberían evitar considerar lo doloroso o insatisfactorio de la existencia y centrarse en sus aspectos positivos, como el tremendo potencial que hay dentro de uno mismo. Al reflexionar sobre estas oportunidades y potencialidades, podrán aumentar la sensación del propio valor y alcanzar mayor seguridad en sí mismos.

Le planteé la habitual pregunta desde la perspectiva de un no budista:

—¿Cuál sería entonces el antídoto para alguien que no hubiera oído hablar del concepto de la naturaleza del Buda o que no sea budista?

—Una de las cosas que podríamos señalarles a esas personas es que hemos sido dotados, como seres humanos, de una maravillosa inteligencia. Además, todos los seres humanos tienen capacidad de decisión, y de orientar ésta hacia sus fines. De eso no cabe la menor duda. Así pues, si se tiene conciencia de estos potenciales y se interiorizan hasta convertirlos en parte de nuestra percepción de los seres humanos, incluido uno mismo, quizá reduciríamos los sentimientos de desánimo, impotencia y autodesprecio.

El Dalai Lama se detuvo un momento y luego continuó con una inflexión pensativa, lo que sugería que aún seguía explorando activamente, enfrascado en un proceso de descubrimiento.

—Creo que existe algún paralelismo con la forma en que tratamos la enfermedad física. Cuando los médicos tratan a alguien de una enfermedad específica no sólo le administran antibióticos para combatirla, sino que también se aseguran de que el estado físico permita al paciente tomar antibióticos y tolerarlos. Para asegurarse de ello, los médicos comprueban que la persona está bien alimentada, y a menudo también le recetan vitaminas o lo que sea necesario para fortalecer el cuerpo. Mientras la persona posea fortaleza, su cuerpo dispone del potencial o la capacidad para curarse con ayuda de la medicación. De modo similar, mientras conozcamos y tengamos conciencia de que poseemos este maravilloso don que es la inteligencia, así como capacidad de decidir utilizarla de forma positiva, tendremos esa salud mental fundamental, esa fortaleza subyacente que procede de sabernos poseedores de un gran potencial humano. Darnos cuenta de ello puede actuar como una especie de mecanismo innato que nos permite afrontar cualquier dificultad, sin que importe la situación a la que nos enfrentemos, sin perder la esperanza ni hundirnos en el odio hacia nosotros mismos.

»Recordar las grandes cualidades que compartimos con todos los seres humanos neutraliza el impulso de pensar que somos malos o indignos. Muchos tibetanos lo analizan en su meditación diaria. Quizá sea esa la razón por la que el odio contra uno mismo nunca llegó a arraigar en la cultura tibetana.

*Quinta parte*

# Reflexiones finales para vivir una vida espiritual

# 15

## Valores espirituales básicos

E<small>L ARTE DE LA FELICIDAD</small> tiene muchos componentes. Como hemos visto, empieza con la comprensión de cuáles son las verdaderas fuentes de ella, así como por establecer nuestras prioridades en la vida, que han de basarse en el cultivo de dichas fuentes. Supone aplicar una disciplina interna, un proceso gradual de desarraigo de nuestros estados mentales destructivos para sustituirlos por los positivos y constructivos, como la amabilidad, la tolerancia y el perdón. Al identificar los factores que conducen a una vida plena y satisfactoria, concluimos con un análisis del componente final: la espiritualidad.

Hay una tendencia natural a asociar espiritualidad con religión. El enfoque del Dalai Lama sobre el logro de la felicidad está condicionado por sus años de formación de monje budista. Por otra parte, se le considera un erudito respetado. Para muchos, sin embargo, no es la comprensión de los complejos problemas filosóficos su mayor atractivo, sino su calor personal, humor y enfoque práctico de la vida. Durante nuestras conversaciones, su humanidad básica pareció desbordar incluso su condición de monje. A pesar de llevar la cabeza rapada y de su llamativa túnica marrón, a pesar de ser una de las figuras religiosas más destacadas del mundo, el tono de nuestras conversaciones fue simplemente el de un ser humano con otro, ambos dedicados a discutir sobre los problemas que compartíamos.

Para ayudarnos a comprender el verdadero significado de la espiritualidad, el Dalai Lama empezó por distinguir entre ésta y la religión.

—Estoy convencido de que es esencial apreciar nuestro potencial como seres humanos y reconocer la importancia de la transformación interior. Esto debería conseguirse a través de lo que llamo un proceso de desarrollo mental. En ocasiones, digo que es como tener una dimensión espiritual en nuestra vida.

»Puede haber dos niveles de espiritualidad. Uno tiene que ver con nuestras convicciones religiosas. En este mundo hay muchas personas diferentes, muchas actitudes diferentes. Somos cinco mil millones de seres humanos y, en cierto modo, creo que necesitamos cinco mil millones de religiones, tanta es la variedad de actitudes que encontramos. Estoy convencido de que cada individuo debería embarcarse en el camino espiritual más adecuado a su disposición mental, su inclinación natural, temperamento, convicciones o antecedentes familiares y culturales.

»Por mis convicciones, el budismo me parece lo más adecuado. Así que, por lo que a mí se refiere, he descubierto que el budismo es lo mejor. Pero eso no significa que lo sea para todo el mundo. Esto está claro y es definitivo. Estar convencido de que el budismo es lo mejor para todo el mundo sería una estupidez, porque las distintas personas tienen diferentes disposiciones mentales. La variedad de gentes exige una variedad de religiones. El propósito de éstas es beneficiar a los seres humanos y creo que si sólo tuviéramos una religión, al cabo de un tiempo ésta dejaría de ser beneficiosa. Si sólo hubiera un restaurante, por ejemplo, y allí sólo se sirviera un plato día tras día, serían muchísimos los clientes que dejarían de ir a él. La gente necesita y aprecia la diversidad en la comida porque hay gustos diferentes. Del mismo modo, las religiones tienen la intención de nutrir el espíritu humano. Creo que podemos celebrar esa diversidad de religiones y desarrollar un aprecio profundo por ella. Ciertas personas están convencidas de que el judaísmo, la fe cristiana o la fe islámica son las más efectivas para ellas. En consecuencia, tenemos que respetar y apreciar el valor de todas las confesiones religiosas del mundo.

»Todas las religiones pueden aportar una contribución efectiva al beneficio de la humanidad. Todas han sido diseñadas para que la persona sea más feliz y para que el mundo sea un lugar mejor. No obstante, para que la religión pueda ejercer un efecto que contribuya a hacer del mundo un lugar mejor, creo que es importante que la persona practique con sinceridad sus enseñanzas. Uno tiene que integrar las enseñanzas religiosas en su propia vida, esté donde esté, para poder utilizarlas como una fuente de fuerza interior. Hay que lograr una comprensión más profunda de las ideas religiosas, no sólo a nivel intelectual, sino también sentimental, para poder convertirlas en parte de la propia experiencia interior.

»Estoy convencido de que se puede cultivar un profundo respeto por todas las confesiones religiosas. Una de las razones es que todas ellas aportan una estructura ética capaz de guiar el comportamiento y producir efectos positivos. En las confesiones cristianas, por ejemplo, la fe en Dios puede proporcionar un enfoque muy eficaz, porque hay una cierta intimidad en la relación de la persona con Él y la forma de demostrar el amor a Dios, al Dios que te ha creado, es mostrar amor y compasión hacia nuestros semejantes. Creo que hay muchas razones similares para respetar a las otras confesiones religiosas. Todas las grandes religiones han aportado tremendos beneficios a millones de seres humanos a lo largo de los tiempos. Incluso en este momento, millones de personas siguen obteniéndolos. Y, en el futuro, también aportarán inspiración a millones de seres de las generaciones venideras.

»Creo que una forma de fortalecer el respeto mutuo es a través de un estrecho contacto personal entre esas confesiones religiosas. Durante los últimos años he realizado esfuerzos por reunirme y mantener diálogos con, por ejemplo, la comunidad cristiana y la comunidad judía, y creo que de ello se han derivado algunos resultados realmente positivos. Gracias a esta clase de contactos, podemos aprender a utilizar las aportaciones que las religiones han hecho a la humanidad, encontrar aspectos de ellas de los que podemos aprender. Hasta es posible que descubramos métodos y técnicas adaptables a nuestra práctica.

»Así pues, es esencial que desarrollemos lazos más estrechos entre las diversas religiones; de ese modo podremos realizar un esfuerzo común para beneficio de la humanidad. Hay tantas cosas que dividen a la humanidad, tantos problemas en el mundo... La religión debería ser un medio para reducir el sufrimiento en el mundo, y no otra fuente de conflicto.

»A menudo hemos oído que todos los seres humanos somos iguales. Queremos decir con ello que todo el mundo tiene el evidente deseo de alcanzar la felicidad. Toda persona tiene derecho a ser feliz. Y toda persona tiene derecho a superar el sufrimiento. Por lo tanto, si alguien saca felicidad o beneficio de una confesión religiosa, es necesario respetar sus derechos; tenemos que aprender, pues, a respetar todas esas grandes tradiciones religiosas.

Durante las semanas de conferencias pronunciadas por el Dalai Lama en Tucson, el espíritu de respeto mutuo fue algo más que un deseo. Entre el público se encontraban muchos que seguían diferentes tradiciones religiosas, incluida una abundante representación del clero cristiano. A pesar de las diferencias, el local siempre estuvo impregnado de un ambiente pacífico y armonioso. Era algo incluso palpable. Reinaba también un espíritu de intercambio y de curiosidad entre los no budistas, acerca de la práctica espiritual cotidiana del Dalai Lama. Esa curiosidad impulsó a uno de los asistentes a preguntar:

—Tanto si se es budista como si no, en todas partes parece crecer la práctica de la oración. ¿Por qué es tan importante la oración para la vida espiritual?

El Dalai Lama contestó:

—Creo que, en su mayor parte, la oración es un simple recordatorio cotidiano de nuestros principios y convicciones. Yo mismo repito cada mañana ciertos versos budistas. Los versos pueden parecer oraciones pero en realidad son recordatorios. Recordatorios de cómo hablar con los demás, de cómo relacionarse con los demás, de cómo afrontar los problemas en la vida cotidiana y cosas así. Así que, en su mayor parte, mi práctica religiosa se compone de recordatorios, en los que reviso la importancia de la compasión, del perdón, de todas estas cosas. Y, naturalmente, también incluyo ciertas meditaciones sobre la naturaleza de la realidad y ciertas prácticas de visualización. Así pues, en mi propia práctica diaria, en mis oraciones cotidianas, si las realizo pausadamente, puedo tardar unas cuatro horas. Es bastante tiempo.

La idea de dedicar cuatro horas al día a la oración impulsó a otra oyente a preguntar:

—Soy una madre que trabaja, tengo niños pequeños y muy poco tiempo libre. Alguien que está tan ocupado como yo, ¿cómo puede encontrar el tiempo necesario para realizar esas oraciones y prácticas de meditación?

—Incluso en mi caso, si deseara quejarme por la falta de tiempo siempre podría hacerlo —comentó el Dalai Lama—. Siempre estoy muy ocupado. No obstante, si se hace un esfuerzo, siempre se encuentra tiempo, por ejemplo a primeras horas de la mañana. Hay también otros momentos, como en los fines de semana. Se puede sacrificar algo del tiempo de diversión. —Se echó a reír—. Así, por lo menos, puede encontrar media hora diaria. O si se esfuerza aún más, quizá treinta minutos por la mañana y otros tantos por la noche. Si lo planifica, le será posible encontrar tiempo.

»No obstante, si piensa seriamente en el verdadero significado de las prácticas espirituales, verá que están relacionadas con el desarrollo y el entrenamiento de su mente, de sus actitudes, estado psicológico y emocional y bienestar. No debería limitar su práctica espiritual a ciertas actividades físicas o verbales, como recitar oraciones y cantar. Si su práctica espiritual se limitara únicamente a estas actividades necesitaría, naturalmente, disponer de un tiempo específico, de un tiempo especialmente asignado para ello, porque no puede pasarse el día realizando sus actividades habituales mientras recita mantras. Eso sería bastante molesto para la gente que la rodea. No obstante, si comprende la práctica espiritual en su verdadero sentido, puede utilizar las veinticuatro horas del día para ella. La verdadera espiritualidad es una actitud mental que se tiene en cualquier momento. Por ejemplo, si se siente tentada de insultar a alguien, debe tomar inmediatamente precauciones y contenerse para no hacerlo. De modo similar, si cree que va a perder los estribos, debe decirse inmediata y reflexivamente: "No, esta no es la forma apropiada". Eso es una verdadera práctica espiritual. Visto desde ese ángulo, siempre dispondrá de tiempo.

»Esto me hace pensar en uno de los maestros tibetanos Kadampa, Potowa, quien dijo que para un meditador que ha alcanzado un cierto grado de estabilidad y realización interior, cada acontecimiento, cada experiencia es una especie de aprendizaje. Es una experiencia de aprendizaje. Creo que esto es muy cierto.

»Desde esta perspectiva, por tanto, hasta cuando se ve expuesta, por ejemplo, a escenas perturbadoras de violencia y sexo en la televisión o en las películas, existe la posibilidad de abordarlas con la conciencia de que causan efectos dañinos y, en lugar de sentirse totalmente abrumada por lo que ve, puede tomar tales escenas como una especie de indicador de la naturaleza nociva de las emociones negativas no controladas.

Pero sacar lecciones de reposiciones de *El equipo A* o *Melrose Place* es una cosa. Como budista practicante, sin embargo, el régimen espiritual del Dalai Lama incluye ciertamente rasgos propios del camino budista. Al describir su práctica cotidiana, por ejemplo, mencionó que incluye meditaciones sobre la naturaleza de la realidad, así como ciertas prácticas de visualización. Aunque en el contexto de este análisis mencionó tales prácticas sólo de pasada, a lo largo de los años he tenido la oportunidad de oírle hablar extensamente del tema, ya que, de hecho, sus charlas y conferencias abarcan algunos de los análisis más complejos que haya escuchado nunca sobre cualquier tema. Sus charlas sobre la naturaleza de la realidad estaban llenas de complicados argumentos y laberínticos análisis filosóficos; sus descripciones de las visualizaciones tántricas eran inconcebiblemente intrincadas y elaboradas, con meditaciones y visualizaciones cuyo objetivo parecía ser construir una especie de atlas holográfico del universo dentro de su propia imaginación. Había dedicado toda una vida al estudio y la práctica de estas meditaciones. Al pensar en esto, y conocedor del monumental alcance de sus esfuerzos, se me ocurrió preguntarle:

—¿Puede describir el beneficio práctico o el impacto que han tenido estas prácticas espirituales sobre su vida cotidiana?

El Dalai Dama guardó silencio durante un rato, antes de contestar serenamente:

—Aunque mi propia experiencia pueda ser escasa, algo que puedo decir con toda seguridad es que tengo la sensación de que, a través de la formación budista, siento que mi mente se ha hecho mucho más serena. Aunque se ha producido gradualmente, quizá incluso centímetro a centímetro —se echó a reír—, creo que ha habido un cambio en mi actitud hacia mí mismo y los demás. A pesar de que resulta difícil señalar las causas exactas de él, creo que está influido por una toma de conciencia, no una plena realización pero sí un cierto sentimiento, de la naturaleza fundamental de la realidad, y también de la consideración de cuestiones como la transitoriedad, el sufrimiento y el valor de la compasión y el altruismo.

»Así, por ejemplo, hasta cuando pensamos en los chinos comunistas que causan daño al pueblo tibetano, mi formación budista me permite experimentar una cierta compasión incluso hacia el torturador, porque comprendo que se ha visto impulsado por fuerzas negativas.

Debido a ello, a mis votos de Bodhisattva* y a mis compromisos, aunque una persona cometa atrocidades no puedo sentir o pensar que, debido a ellas, deba experimentar siempre cosas negativas o no tener momentos de felicidad. El voto de Bodhisattva me ha ayudado a desarrollar esta actitud y me ha sido muy útil, de modo que, naturalmente, le doy un gran valor.

»Eso me recuerda a un antiguo maestro de canto que está en el monasterio Namgyal. Estuvo en las prisiones chinas y en campos de concentración, como prisionero político, durante veinte años. Una vez le pregunté cuál fue la situación más difícil a la que tuvo que enfrentarse en esa época. Sorprendentemente, me contestó que, en esa época, el mayor peligro que corrió fue el de perder la compasión que sentía por los chinos.

»Hay muchas historias similares. Por ejemplo, hace tres días me reuní con un monje que pasó muchos años en las prisiones chinas. Me dijo que tenía veinticuatro años cuando se produjo el levantamiento tibetano de 1959. Se unió a las fuerzas tibetanas en Norbulinga. Fue hecho prisionero por los chinos y enviado a prisión, junto con otros tres hermanos suyos que fueron asesinados en ella. Otros dos hermanos también fueron asesinados. Más tarde, sus padres murieron en un campo de trabajos forzados. Pero me dijo que cuando estuvo en prisión, reflexionó sobre la vida que había llevado hasta entonces y llegó a la conclusión de que, a pesar de haber pasado toda una vida en el monasterio de Drepung, no había sido un buen monje. Pensaba que había sido un monje estúpido. En aquel momento se hizo votos de que, a partir de entonces, estando en prisión, trataría de ser un monje genuinamente bueno. Como resultado de sus prácticas budistas,

---

*A través del voto de Bodhisattva, el educando espiritual afirma su intención de convertirse en un Bodhisattva, literalmente el «guerrero despierto», quien, por amor y compasión, ha alcanzado la realización del *Bodhicitta*, un estado mental caracterizado por la aspiración espontánea y genuina a alcanzar la plena iluminación para ser beneficioso para todos los seres.

pudo mantenerse mentalmente muy feliz a pesar de sufrir un gran dolor físico. Incluso cuando lo sometieron a torturas y a fuertes palizas, pudo sobrevivir y seguir sintiéndose feliz al considerar todo como una limpieza de su anterior karma negativo.

»A través de estos ejemplos podemos apreciar realmente el valor de incorporar todas estas prácticas espirituales en nuestra vida cotidiana.

De ese modo, el Dalai Lama añadió el ingrediente final de una vida más feliz: la dimensión espiritual. A través de las enseñanzas del Buda, el Dalai Lama y muchos otros han encontrado unos principios que les permiten soportar y hasta trascender el dolor y el sufrimiento que la vida trae consigo. Y, tal como sugiere el Dalai Lama, cada una de las grandes confesiones religiosas del mundo puede ofrecer las mismas oportunidades de alcanzar una vida más feliz. El poder de la fe, generado a una escala muy amplia por la religión, ilumina las vidas de millones de personas y las ha sostenido en momentos de dificultad. A veces, funciona de forma silenciosa y sutil, otras lo hace a través de experiencias transformadoras. Cada uno de nosotros, en algún momento de nuestras vidas, ha sido testigo del funcionamiento de ese poder en un miembro de nuestra familia, en un amigo o en un conocido. Ocasionalmente, los ejemplos llegan hasta las páginas de los periódicos. Muchos conocen, por ejemplo, el suplicio de Terry Anderson, un hombre corriente que fue secuestrado en una calle de Beirut una mañana de 1985. Le echaron una manta por encima, fue metido a empujones en un coche y durante los siete años siguientes fue retenido como rehén por Hezbollá, una organización islámica radical. Hasta 1991 estuvo encerrado en pequeñas celdas de sótanos húmedos y sucios, con los ojos cubiertos y encadenado durante prolongados períodos de tiempo, soportando palizas regularmente. Cuando fue finalmente liberado, el mundo se fijó en él y encontró a un hombre regocijado por poder regresar junto a su familia y reanudar su vida, pero sorprendentemente libre de amargura y odio hacia sus captores. Al ser interrogado por los periodistas sobre el origen de una fortaleza tan nota-

255

ble, señaló la fe y la oración como los elementos que le ayudaron a soportar su suplicio.

El mundo está lleno de ejemplos similares de cómo la fe religiosa ofrece ayuda en momentos difíciles. Recientes y extensas encuestas parecen confirmar el hecho de que la fe religiosa puede contribuir sustancialmente a llevar una vida más feliz. Las dirigidas por investigadores independientes y por grandes organizaciones de encuestas (como la empresa Gallup) han descubierto que las personas religiosas se sienten felices y satisfechas con su vida en mayor medida que las no religiosas. Los estudios han descubierto que la fe no sólo conlleva sentimientos de bienestar, sino que también parece ayudar a afrontar más serenamente cuestiones como el envejecimiento o la superación de crisis personales y acontecimientos traumáticos. Además, las estadísticas muestran que las familias con fuertes creencias religiosas se ven afectadas por menores índices de delincuencia, alcoholismo, drogadicción y rupturas matrimoniales. También hay pruebas que indican que la fe puede tener beneficios para la salud, incluso en casos de enfermedades graves. De hecho, hay cientos de estudios científicos y epidemiológicos que han establecido una vinculación entre la fe religiosa, índices menores de mortalidad y mejor salud. Según un estudio, mujeres ancianas con fuertes creencias religiosas pudieron caminar distancias más largas, después de haber sido operadas de la cadera, que las que tenían menos convicciones religiosas; también se sintieron menos deprimidas después de la operación. Un estudio realizado por Ronna Casar Harris y Mary Amanda Dew en el Centro Médico de la Universidad de Pittsburgh descubrió que los pacientes trasplantados de corazón con fuertes convicciones religiosas tienen menos dificultades para afrontar regímenes médicos postoperatorios y muestran una mejor salud física y emocional a largo plazo. En otro estudio del doctor Thomas Oxman y sus colegas de la Escuela Médica de Dartmouth se descubrió que los pacientes mayores de cincuenta y cinco años sometidos a una operación quirúrgica a corazón abierto de la arteria coronaria o de la válvula cardíaca que se habían refugiado en sus creencias religiosas, tenían tres veces más probabilidades de sobrevivir que quienes no lo habían hecho.

A veces, los beneficios de una fuerte fe religiosa son el producto directo de las doctrinas de una religión concreta. Muchos budistas, por ejemplo, soportan el sufrimiento a través de su fe en la doctrina del karma. Gracias a la fe que tienen depositada en un Dios omnisciente y amoroso, un Dios cuyo plan quizá sea oscuro para nosotros pero que, en su sabiduría, terminará por revelarnos su amor, mucha gente puede resistir sus tribulaciones. Con fe en las enseñanzas de la Biblia, pueden reconfortarse con versículos como el de Romanos 8, 28: «En todas las cosas interviene Dios para bien de los que le aman, de aquellos que han sido llamados según su voluntad».

Aunque algunas de las compensaciones de la fe se basen en doctrinas de una confesión determinada, la vida espiritual también tiene otras características comunes a todas las religiones. La participación en las actividades de cualquier grupo religioso puede crear una sensación de pertenencia, de lazos comunes, una conexión con los otros participantes. Ofrece una estructura a través de la cual uno puede conectarse y relacionarse con los demás; eso puede proporcionar un sentimiento de pertenencia. Las creencias religiosas muy arraigadas pueden darnos un profundo sentido de propósito, aportar significado a la propia vida. Ofrecen esperanza frente a la adversidad, el sufrimiento y la muerte. Ayudan a adoptar una perspectiva amplia, que nos permite salir de nosotros mismos cuando nos sentimos abrumados por los problemas cotidianos.

Aunque estos beneficios potenciales están al alcance de quienes practican una religión establecida, está claro que tener una fe religiosa no garantiza, por sí sola, la felicidad y la paz. Por ejemplo, en el mismo momento en que Terry Anderson se hallaba encadenado en una celda, manifestando los valores más elevados de la fe religiosa, justo fuera de ella se desataban la violencia de masas y el odio mostrando los peores aspectos de la fe religiosa. Durante años, distintos grupos musulmanes, cristianos e israelíes mantuvieron una guerra, en parte, alimentada por el odio violento entre los bandos, lo que tuvo como consecuencia atrocidades inenarrables, cometidas en nombre de la fe. Es una vieja historia que se ha repetido con demasiada frecuencia a lo largo de la historia, incluso en el mundo moderno.

Debido a este potencial para alimentar la división y el odio, resulta fácil perder la confianza en las religiones. Eso ha llevado a algunas figuras como el Dalai Lama a tratar de difundir los elementos de la vida espiritual que pueden ser aplicados universalmente para aumentar la felicidad, independientemente de la confesión o las creencias religiosas.

Así, con tono de la más completa convicción, el Dalai Lama concluyó su análisis ofreciendo su visión de una verdadera vida espiritual:

—Cuando hablo de adoptar una dimensión espiritual en nuestra vida, he identificado fe con espiritualidad. Cuando se profesa una religión eso está bien. Pero nos podemos arreglar incluso sin creencias religiosas. En algunos casos, nos las arreglamos mejor. Tenemos derecho: si deseamos creer, bien; si no, también. Existe, sin embargo, otro nivel de espiritualidad. Eso es lo que llamo espiritualidad básica: se trata de un conjunto de cualidades, como bondad, amabilidad, compasión, atención con los demás. Tanto si somos creyentes como si no, esta clase de espiritualidad es esencial. Personalmente, considero este segundo nivel de espiritualidad más importante que el primero, porque al margen de lo maravillosa que pueda ser una religión, sólo será aceptada por una parte de la humanidad. Pero, mientras seamos seres humanos, mientras formemos parte de la familia humana, todos necesitamos aquellos valores espirituales. Sin ellos, la existencia humana resulta dura, muy seca: ninguno de nosotros puede ser una persona feliz, nuestra familia sufrirá y, en último término, toda la sociedad tendrá más problemas. Así pues, queda claro que el cultivo de aquellos valores resulta esencial.

»Al cultivarlos, me parece que necesitamos recordar que de los aproximadamente cinco mil millones de seres humanos que habitamos este planeta, sólo unos mil o dos mil millones somos creyentes. Naturalmente, al referirme a creyentes no incluyo a aquellas personas que dicen simplemente: "Soy cristiano" porque lo eran sus antepasados, pero que no practican su religión. Por tanto, excluyendo a estas personas, creo que quizá haya alrededor de mil millones de personas que practiquen sinceramente su religión. Eso significa que hay cuatro mil millones de personas, la mayoría de la población de esta tierra, que no son creyentes. Tenemos que encontrar una forma de intentar mejorar la vida de ellos, de esos cuatro mil millones de seres que no tienen religión específica; alguna forma de ayudarles a convertirse en seres humanos buenos, en personas morales, sin ninguna religión. En este aspecto creo que la educación es crucial, ya que dar a la gente la idea de que la compasión, la afabilidad, etcétera, son las cualidades humanas básicas no afecta sólo a los miembros de una Iglesia. Creo que antes ya hablamos de la importancia fundamental del calor humano, del afecto y la compasión para la salud física de la gente, para su felicidad y paz mental. Este es por tanto un tema muy práctico y no simple teoría religiosa o especulación filosófica. Se trata de un tema clave. Y creo que constituye la esencia de las enseñanzas religiosas de todas las confesiones. Pero también es esencial para los que prefieren no tener religión. Creo que a esas personas podemos educarlas y convencerlas de que está bien que permanezcan sin religión, pero que hay que ser una persona buena, un ser humano sensible, con sentido de la responsabilidad y del compromiso para lograr un mundo mejor y más feliz.

»En general, es posible que cada cual muestre su religión por medios externos, como ciertas vestimentas, las imágenes sagradas del hogar, canciones u oraciones. Estas prácticas no son tan importantes como que cada uno lleve un estilo de vida verdaderamente espiritual, basado en valores fundamentales, porque es posible realizar actividades externas públicas al mismo tiempo que se tiene un estado mental muy negativo. La verdadera espiritualidad debería tener como resultado que la persona fuera más serena, más feliz, más pacífica.

»Todos los estados virtuosos de la mente, como la compasión, la tolerancia, el perdón, la atención hacia los demás, etcétera, todas esas cualidades mentales son *Dharma* genuino, cualidades espirituales genuinas, porque no pueden coexistir con malos sentimientos o con estados negativos de la mente.

»Así pues, adoptar un método que aporte disciplina a la propia mente es la esencia de una vida religiosa; se trata de una disciplina interior que tiene el propósito de cultivar estados mentales positivos. Por tanto, llevar una vida espiritual depende de que se haya conseguido alcanzar ese estado disciplinado y domesticado de la mente y que eso se vea reflejado en las acciones cotidianas.

El Dalai Lama tenía que asistir a una pequeña recepción en honor de un grupo de donantes que apoyaban la causa tibetana. Frente a la sala de recepción se había congregado una gran multitud, a la espera de su aparición. Cuando él llegó, la multitud ya era bastante densa. Entre los espectadores observé a un hombre al que había visto en un par de ocasiones a lo largo de la semana. No era fácil precisar su edad, aunque yo le habría supuesto entre veinticinco y treinta años; era alto y muy delgado. Aunque destacaba por su aspecto descuidado, me había llamado la atención por su expresión, que había visto con frecuencia entre mis pacientes: angustiada, profundamente deprimida, como si sufriera mucho. Creí observar ligeros gestos reflejos alrededor de su boca. «Discinesia tardía», diagnostiqué en silencio. La discinesia es un trastorno neurológico causado por el uso crónico de medicación antipsicótica. «Pobre hombre», pensé, aunque me olvidé de él rápidamente.

Al llegar el Dalai Lama, la multitud se condensó, y se movió hacia él para saludarlo. El personal de seguridad, compuesto en su mayor parte por voluntarios, se esforzó por contener a la masa de gente que avanzaba, para despejar un camino hacia la sala de recepción. El joven angustiado de antes, ahora con una expresión un tanto desconcertada, se vio empujado hacia adelante por la multitud y se encontró al borde del claro abierto por el equipo de seguridad. Al abrirse paso, el Dalai Lama observó al hombre, se liberó de la protección del equipo de seguridad y se detuvo para hablar con él. Al principio, el joven se quedó aturdido y empezó a hablar muy rápidamente al Dalai Lama, que pronunció pocas palabras. No pude escuchar lo que se dijeron, pero observé que mientras hablaba, el joven empezó a mostrarse visiblemente más agitado. El hombre decía algo pero, en lugar de responder, el Dalai Lama le tocó espontáneamente la mano, dándole unas suaves palmaditas, y durante un momento se limitó a permanecer allí, asintiendo con ligeros gestos. Mientras sostenía con firmeza la mano del joven y lo miraba a los ojos, pareció como si no se diera cuenta de la multitud que le rodeaba. De repente, la expresión de dolor y agitación pareció desaparecer del rostro del hombre y las lágrimas corrieron por sus mejillas. Aunque la sonrisa que brotó y se extendió lentamente sobre sus rasgos fue tenue, una expresión de consuelo y alegría apareció en sus ojos.

El Dalai Lama ha resaltado repetidas veces que la disciplina interior es la base de una vida espiritual. Es el método fundamental para alcanzar la felicidad. Tal como explicó para este libro, la disciplina interior supone, desde su perspectiva, combatir los estados negativos de la mente, como la cólera, el odio y la avaricia, y cultivar los estados positivos como la amabilidad, la compasión y la tolerancia. También ha señalado que una vida feliz se construye sobre el fundamento de ese estado mental sereno y estable. El desarrollo de la disciplina interna puede incluir técnicas de meditación formal que ayudan a estabilizar la mente y logran ese estado de calma. La mayoría de las religiones incluyen prácticas que tratan de aquietar la mente, de situarnos más en contacto con nuestra más profunda naturaleza espiritual. Como conclusión de la serie de conferencias pronunciadas por el Dalai Lama en Tucson, el maestro ofreció una meditación pensada para ayudarnos a serenar nuestros pensamientos, observar la naturaleza fundamental de la mente y desarrollar la «quietud de la mente».

## Meditación sobre la naturaleza de la mente

Tras observar a los reunidos, empezó a hablar en su forma peculiar, como si en lugar de dirigirse a un grupo estuviera transmitiendo enseñanzas a cada individuo presente. En algunos momentos se mostraba quieto y concentrado, en otros más animado; acompañaba sus instrucciones con ligeros movimientos de cabeza, gestos con las manos y suaves balanceos.

—El propósito de este ejercicio es empezar a reconocer y percibir la naturaleza de nuestra mente —empezó a decir—, al menos a un nivel convencional. Generalmente, al referirnos a nuestra mente, expresamos un concepto abstracto. Si no tenemos una experiencia directa de nuestra mente, por ejemplo, si se nos pidiera que la identificáramos, nos sentiríamos impulsados a señalar simplemente el cerebro. Si se nos pidiera que definiésemos la mente, diríamos que es algo que tiene capacidad para «saber», algo que es «claro» y «cognitivo». Pero si no hemos captado directamente la mente a través de prácticas de meditación, estas definiciones no son más que palabras. Es importante poder identificar la mente a través de la experiencia directa y no sólo como un concepto abstracto. Por tanto, el propósito de este ejercicio es sentir o captar directamente la naturaleza convencional de la mente, de modo que cuando se diga que la mente tiene cualidades de «claridad» y «cognición», seamos capaces de identificarla de forma experimental.

»Este ejercicio nos ayuda a detener deliberadamente los pensamientos y a permanecer gradualmente en ese estado durante un tiempo cada vez más prolongado. Cuando se domina este ejercicio se llega a tener la sensación de que no hay nada, sólo vacío. Pero si se profundiza más, se empieza a reconocer la naturaleza fundamental de la mente, sus cualidades de "claridad" y de "conocimiento". Es como un vaso de cristal puro lleno de agua. Si el agua también es pura, se puede ver el fondo del vaso, aun sabiendo que el agua está ahí.

»Así que hoy meditaremos sobre la no conceptualidad. No es este un simple estado de abulia o de dejar en blanco nuestra mente. En lugar de eso, lo que hay que hacer es decidir "anular los pensamientos conceptuales". La forma de hacerlo es la siguiente:

»En términos generales, nuestra mente está dirigida predominantemente hacia los objetos externos. Nuestra atención sigue el sentido de las experiencias. Se mantiene en un nivel predominantemente sensorial y conceptual. En otras palabras, nuestra conciencia se dirige normalmente hacia las experiencias sensoriales y los conceptos mentales. En este ejercicio lo que hay que hacer es retirar la mente hacia el interior; no lanzarla a la caza de objetos sensoriales. Pero, al tiempo, no debe retirarse hasta el extremo de provocar un estado de estupor. Ha de estarse en un estado consciente de alerta y atención, para desde él asumir la conciencia, de modo que ésta no se vea afectada por los pensamientos del pasado, las cosas que han ocurrido, sus recuerdos o ideas sobre el futuro, como planes, expectativas, temores y esperanzas. Intente más bien permanecer en un estado relajado y neutral.

»Esto es un poco como un río que fluye con fuerza, por lo que su lecho no se puede ver con claridad. Si hubiera algún modo de detener el flujo de ambas direcciones, es decir, desde donde llega el agua y hacia donde va, se podría mantener el agua quieta. Eso permitiría ver el lecho del río. De modo similar, cuando se es capaz de detener la mente de modo que deje de cazar objetos sensoriales y pensar en el pasado y en el futuro, si se puede liberar la mente por completo, dejándola totalmente "en blanco", podría empezarse a mirar debajo de la turbulencia de los procesos de pensamiento. Allí reina una quietud subyacente, una claridad fundamental de la mente. Debería tratarse de observar y experimentar eso...

»Quizá sea difícil de conseguir en una fase inicial, así que iniciaremos la práctica desde esta misma sesión. En la fase inicial, cuando se empieza a experimentar este estado natural subyacente de conciencia, se siente como una "ausencia". Eso ocurre porque estamos muy habituados a comprender nuestra mente en términos de objetos externos; tendemos a mirar el mundo a través de nuestros conceptos, imágenes, etcétera. Así que, al retirar la mente de los objetos externos es casi como si no pudiéramos reconocer nuestra propia mente. De ahí proviene la ausencia, la vacuidad. No obstante, a medida que se progresa y se acostumbra uno a ella, se empieza a notar una claridad subyacente, una luminosidad. Es entonces cuando se comienza a apreciar el estado natural de la mente.

»Muchas de las experiencias meditativas realmente profundas tienen que alcanzarse sobre la base de la quietud de la mente... Oh —exclamó el Dalai Lama echándose a reír—, debería advertirles que en este tipo de meditación se corre el peligro de quedarse dormido, puesto que no hay objeto específico sobre el que concentrar la atención.

»Así que, ahora, meditemos...

»Para empezar, realicemos antes tres rondas de respiración profunda y centremos la atención simplemente en la respiración. Concéntrese en la inspiración, la espiración, la inspiración, la espiración... hasta tres veces. Luego, empiecen la meditación.

El Dalai Lama se quitó las gafas, cruzó las manos sobre su regazo y permaneció inmóvil, sumido en la meditación. Un silencio total se extendió por la sala, al tiempo que mil quinientas personas efectuaban una introspección, en la soledad de mil quinientos mundos privados, tratando de acallar sus pensamientos y quizá de echar un vistazo fugaz a la verdadera naturaleza de su propia mente. Al cabo de cinco minutos, el silencio crujió, aunque no se rompió, cuando el Dalai Lama empezó a cantar suavemente, con voz baja y melódica, sacando suavemente a sus oyentes de la meditación.

Ese día, al concluir la sesión, el Dalai Lama juntó las manos, como hacía siempre, se inclinó ante el público en demostración de afecto y respeto, se levantó y se abrió paso entre la gente que lo rodeaba. Mantuvo las manos juntas y siguió inclinándose a uno y otro lado mientras abandonaba la sala. Al cruzar por entre la multitud se inclinó tanto que habría sido imposible verlo para cualquiera que estuviera a más de unos pocos pasos de distancia. Parecía perdido entre un mar de cabezas. Desde la distancia, sin embargo, aún podía detectarse el camino que seguía por el sutil desplazamiento del movimiento de la multitud al pasar él. Era como si hubiese dejado de ser un objeto visible y se hubiera convertido, simplemente, en una presencia que se siente.

# Agradecimientos

E STE LIBRO NO HABRÍA existido sin los esfuerzos y la amabilidad de muchas personas. En primer lugar, quisiera transmitir mi más sentido agradecimiento a Tenzin Gyatso, el decimocuarto Dalai Lama, con una profunda gratitud por su ilimitada afabilidad, generosidad, inspiración y amistad. Y a mis padres, James y Bettie Cutler, en cariñoso recuerdo, por haberme proporcionado los fundamentos de mi propio camino para encontrar la felicidad en la vida.

Mi más sincero agradecimiento se extiende a muchos otros:

Al doctor Thupten Jinpa por su amistad, su ayuda en la revisión de los textos del Dalai Lama incluidos en este libro, su papel esencial al actuar como intérprete de las conferencias del Dalai Lama y en muchas de nuestras conversaciones privadas. Y también a Lobsang Jordhen, el venerable Lhakdor, por actuar como intérprete mío para una serie de conversaciones con el Dalai Lama en la India.

A Tenzin Geyche Tethong, Richen Dharlo y Dawa Tsering, por su apoyo y ayuda en muchos aspectos a lo largo de los años.

A muchas personas que trabajaron mucho para asegurarse de que la visita del Dalai Lama a Arizona en 1993 fuera una experiencia gratificante para tantos: a Claude d'Estree, Ken Bacher y el consejo y el personal de Arizona Teachings, Inc., a Peggy Hitchcock y al consejo de Arizona Friends of Tibet, a la doctora Pam Willson y a los que ayudaron a organizar la conferencia pronunciada por el Dalai Lama en la Universidad Estatal de Arizona, así como a las docenas de entregados voluntarios, por sus incansables esfuerzos, en nombre de quienes asistieron a las acciones del Dalai Lama en Arizona.

A mis extraordinarios agentes, Sharon Friedman y Ralph Vicinanza, y a su maravilloso equipo, por su ánimo, amabilidad, entrega y ayuda en tantos aspectos de este proyecto y por el duro trabajo realizado más allá de lo exigido por el deber. He contraído con ellos una deuda especial de gratitud.

A aquellos que aportaron su valiosa asistencia, percepción y experiencia editorial, así como apoyo personal durante el prolongado proceso de redacción: a Ruth Hapgood por sus hábiles esfuerzos para editar las primeras versiones del manuscrito, a Barbara Gates y a la doctora Ronna Kabatznick por su indispensable ayuda para revisar el voluminoso material, así como para centrarlo y organizarlo en una estructura coherente. También a mi ingenioso editor Amy Hertz por creer en el proyecto y ayudar a configurar el libro en su forma final. También a Jennifer Repo y al personal de revisión de galeradas de Riverhead Books. También quisiera expresar mi cálido agradecimiento a todos aquellos que ayudaron a transcribir las conferencias del Dalai Lama en Arizona, a mecanografiar las transcripciones de mis conversaciones con él y a mecanografiar partes de las primeras versiones del manuscrito.

Y, para terminar, mi más profundo agradecimiento:

A mis maestros.

A mi familia y a los muchos amigos que han enriquecido mi vida de más formas de las que puedo expresar: a Gina Beckwith, el doctor David Weiss y Daphne Atkeson, el doctor Gillian Hamilton, Helen Mitsios, David Greenwalt, Dale Brozosky, Kristi Ingham Espinasse, el doctor David Klebanoff, Henrietta Bernstein, Tom Minor, Ellen

Wyatt Gothe, la doctora Gail McDonald, Larry Cutler, Randy Cutler y un agradecimiento especial con profundo aprecio a Candee y Scott Brierley, así como a otros muchos amigos a los que quizá no haya citado aquí por su nombre, pero a los que llevo en mi corazón con permanente amor, gratitud y respeto.

Y a Lori, con amor.

## También de Su Santidad el Dalai Lama

Las siguientes obras se incluyen por orden alfabético de título.

*The Dalai Lama: A Policy of Kindness*, compilado y editado por Sidney Piburn, Snow Lion Publications, Ithaca, 1990 [Trad. cast., *Política de la bondad*, Dharma, Novelda, Alicante, 1993.]

*A Flash of Lightning in the Dark of Night. A Guide to the Bodhisattva's Way of Life*, por S. S. el Dalai Lama, Shambhala Publications, Boston, 1994.

*The Four Noble Truths*, por S. S. el Dalai Lama, traducido por el doctor Thupten Jinpa, editado por Dominique Side, Thorsons, Londres, 1998.

*Freedom in Exile. The Autobiography of the Dalai Lama*, por S. S. el Dalai Lama, HarperCollins, Nueva York, 1991. [Trad. cast., *Libertad en el exilio*, Plaza y Janés, Barcelona, 1991.]

*The Good Heart. A Buddhist Perspective on the Teachings of Jesus*, por S. S. el Dalai Lama, Wisdom Publications, Boston, 1996.

*Kindness, Clarity, and Insight*, por S. S. el Dalai Lama, traducción y edición de Jeffrey Hopkins, coedición de Elizabeth Napper, Snow Lion Publications, Ithaca, 1984.

*The World of Tibetan Buddhism*, por S. S. el Dalai Lama, traducción, edición y notas del doctor Thupten Jinpa, Wisdom Publications, Boston, 1995.